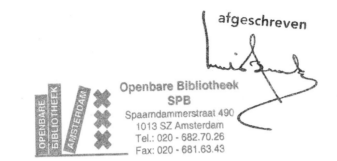

D0590171

Slaap lekker

Slaap lekker

Susanne Koster

Uitgeverij Sjaloom

*Met dank aan mijn dochter Patricia van Deursen en mijn
redacteur Marjan Jordan.
Hun aanmoedigingen, enthousiasme en oplettendheid heb
ik zeer gewaardeerd.*

Website: www.sjaloom.nl
E-mail: post@sjaloom.nl

Een uitgave van Uitgeverij Sjaloom, Postbus 1895,
1000 BW Amsterdam, Nederland
© 2010 Susanne Koster en C.V. Sjaloom en Wildeboer

Omslagillustratie: Andrea Scharroo, Amsterdam
Omslagfoto: Joseph, Dreamstime
Ontwerp omslag en binnenwerk: Andrea Scharroo, Amsterdam
ISBN 978 90 6249 570 2, NUR 284

Proloog

'Je zult het nooit van mij winnen. Nooit. Denk je nou heus dat iemand jou zal geloven? Dan ben je nog stommer dan ik dacht.'

Zijn stem klonk bijna aardig, maar zijn ogen waren kil. Zo kil dat ze toch weer even rilde.

'Ben je bang voor me, kleine flirt? Dat is goed. Nooit je tegenstander onderschatten. Als je niet oppast... Laat ik het zo zeggen: Ik heb nog heel wat leuks voor jou in petto. En denk maar niet dat je moeder jouw verhaaltjes zal geloven. Jouw moeder gelooft mij, daar zorg ik wel voor.'

Hij legde zijn hand op haar hoofd. Ze kromp in elkaar.

'Flirtje toch!' fluisterde hij in haar oor. 'Moet het echt op deze manier? Waarom wil je geen vriendjes zijn?'

Zijn hijgende adem in haar nek kwam dichterbij en even flitste er iets warms en nats langs haar oorlelletje. Gatverdamme! Ze probeerde zich los te rukken, maar hij greep haar haren vast en trok haar hoofd naar achteren.

'Hier blijven, jij! Als jij vanaf nu gewoon doet wat ik zeg en niet tegen je moeder gaat lopen zeuren over mij, dan geef ik je nog een kans. Misschien. Maar dan moet je me wel laten zien dat je echt wil. Wil je echt?'

De tranen trokken hete sporen over haar wangen en haar stem weigerde dienst. Ze schudde haar hoofd.

Zijn ene hand hield nog steeds haar hoofd achterover en zijn andere hand lag opeens rond haar keel. Zijn vingers drukten hard. Heel hard.

'Ik denk dat je een vergissing hebt gemaakt. Dat geeft niet. Ik vergeef het je. Iedereen maakt weleens een vergissing. Dus jij mag er ook één maken. Eén. Want ik weet zeker dat je wél wilt. Zég het!'

Hij trok haar hoofd in een abrupte beweging nog verder naar achteren en ze verloor haar evenwicht. In een reflex ving hij haar op en hij trok haar op schoot waar hij haar wiegde als een baby.

'Laat het me horen, flirtje. Ja, lieve Gerard, ik wil het. Ik wil het heel graag. Zég het!' brulde hij opeens.

De tranen vertroebelden haar blik, haar hoofd bonkte en haar stem besloot een eigen leven te gaan leiden en deed wat hij vroeg.

Hoofdstuk 1

'Fleur, vanavond komt Gerard. Kun je hem eindelijk ont-moeten!'

Fleur keek haar moeder aan en wist even niet wat ze moest zeggen. Het was dus serieus. Mam had 't wel vaker over hem gehad, maar ze had niet geluisterd natuurlijk. De pee in. Mam had de laatste tijd steeds afspraakjes met die vent. En hemels kijken! Gatver!

'Nou, zeg je niets?' vroeg haar moeder stralend.

'Je ziet eruit alsof je verliefd bent op die gast. Of niet?' vroeg ze tegen beter weten in.

Haar moeder kleurde tot achter haar oren. 'Ik geloof van wel.'

Visioenen van een moeder die hand in hand liep met een of andere vent. Haar moeder zoenend met die kerel op de bank.

'Waarom denk je dat ik steeds met hem uitga?' vroeg haar moeder nog even stralend. 'Je weet toch nog wel dat ik je een half jaar geleden vertelde dat we er een nieuwe bariton bij kregen op het koor?'

O ja, dat ouwe mutsenkoor waar mam de jongste was. 'Ja?'

'Nou, dat is hem dus, dat heb ik je nog verteld! We staan al wekenlang tijdens de koffiepauze samen te kletsen. En de weekeinden dat jij bij je vader bent, brengen we steeds samen door. Nou enne, gisteravond zei hij ineens dat het tijd werd om officieel met jou kennis te maken. Gewoon elkaar even een handje geven, meer niet hoor.'

Officieel kennismaken met haar, hè ja, gezellig! Mam zou toch niet met een ouwe, heel keurige man gaan? 'Hoe oud is hij eigenlijk?'

Haar moeder slikte. 'Weet ik niet precies, van mijn leeftijd in ieder geval.'

Nou, dat viel mee. 'Tja, leuk. Denk ik.'

'Hoe je dat toch weer zegt!' lachte haar moeder. 'Hoor jezelf eens. "Denk ik". Fleur, neem van mij aan, het is heel erg leuk. Ik voel me alsof ik weer zestien ben. Allemaal vlinders in mijn buik. En ik weet ook niet meer wat ik aan moet doen. Raar hè? Maar hij legde zo de nadruk op dat officiële. Kun jij me daar even mee helpen, jij hebt er meer kijk op dan ik.'

'Hoe kom je erbij? Ik heb er geen bal verstand van,' zei Fleur hard en legde haar voeten op de salontafel. 'Ik heb nooit afspraakjes. Dus hoe kan ik dan weten wat jij op jouw officiële afspraakje aan moet doen?'

Haar moeders gezicht betrok en meteen voelde ze spijt over haar kattige woorden. Ze trok haar benen terug van de salontafel en glimlachte naar haar moeder. 'Maar ik help je wel hoor, mam. Twee weten altijd meer dan één.'

Haar moeder kwam naast haar op de bank zitten en tikte voorzichtig op haar been. 'Vind je het vervelend dat hij wil komen?'

Fleur sprong op en ging voor het raam staan. 'Natuurlijk niet. Als jij je maar niet als zo'n domme koe gaat gedragen.'

'Domme koe?'

'Ja, je weet wel. Zoals Sophie kan doen als ze weer eens verliefd is.' Meteen zag ze haar beste vriendin voor zich. Altijd en eeuwig verliefd. Voor een week of twee.

'Ja, Sophie,' zei haar moeder. 'Daar kun je mij toch niet mee vergelijken? Hé, wacht eens.' Ze hoorde de aarzeling in haar moeders stem. 'Vind je dat ik er te oud voor ben?'

'Nee, maar het is gewoon…' begon ze haperend terwijl ze ondertussen hartjes op het raam tekende. 'Ik wil niet dat er iets verandert. Misschien ben ik gewoon een beetje jaloers of egoïstisch.'

Mam kwam naast haar staan en legde nonchalant een arm om haar onwillige schouders. 'Ach, Fleur toch! Het feit dat jij nog geen afspraakjes hebt gehad, is niets bijzonders. Je bent nog hartstikke jong.'

'Nou èn?' vroeg Fleur kwaad en schudde die veel te aardige arm van haar schouders. 'Kijk naar Sophie, die heeft zeker al tien afspraakjes gehad.'

Ze knipperde hard met haar ogen om het brandende gevoel dat daar opeens zat, weg te werken. Sophie was een leuke meid, had een goeie kop, ze was spontaan, ze was bepaald niet op haar mondje gevallen, maar af en toe was ze best grof ook! 'En ik heb nog nooit een afspraak met wie dan ook gehad. Wat mankeert er dan aan mij?'

'Er mankeert helemaal niets aan jou. Ik kan, ook als moeder, echt wel objectief naar jou kijken. Kijk eens in de spiegel. Je ziet er goed uit. Je hebt een goed stel hersens. Je bent een meisje dat niet met zich laat sollen, je bent niet verlegen en je hebt het hart op de juiste plek. En dan heb je ook nog eens een heel lief snoetje en prachtig, woest krullend haar.'

'Ja, alsof ik daar blij mee moet zijn,' mopperde Fleur en duwde haar grote bos onhandelbare krullen achter haar oren, waar ze meteen weer vanachter vandaan schoten.

Haar moeder lachte. 'Daarnaast heb je een figuurtje waar menig meisje jaloers op zou zijn. Afspraakjes komen vanzelf, schat. Wanneer jij eraan toe bent. Twijfel niet aan jezelf. Je bent goed zoals je bent.'

'Maar Sophie dan, mam?'

'Het is niet verstandig jezelf met Sophie te vergelijken. Sophie is echt een leuke meid, maar ze is ook heel anders dan jij, veel losser in haar doen en laten. Of dat beter is, betwijfel ik, hoe aardig ze ook is. Wees jij nu maar blij dat je gewoon Fleur bent. Daar is niets mis mee. En je weet dat ik het je zou zeggen als ik dacht dat er wel iets mis met je was, of niet dan?'

Dat was waar. Ze waren heel open naar elkaar. 'Oké dan. Ik wacht nog wel even met uitgaan en kijk ondertussen bij jou het trucje af, goed?'

Mam lachte en liep naar de gang. 'Ga je nu dan eindelijk mee naar boven? Ik heb echt geen idee wat ik zal aandoen.'

Om half acht ging de bel. Mam verschikte nog even snel iets aan haar kunstig aangebrachte krullen en rende de gang in. 'Hai Gerard,' hoorde Fleur haar bijna ademloos zeggen. 'Kom binnen.'

'Dag, lieve Roos. Wat zie je er prachtig uit.'

Ja, dûh! Mocht het na anderhalf uur eindeloos allerlei kleren aan en uit te hebben gehad, om nog maar te zwijgen over het gehannes met de krultang.

Even later stapten ze hand in hand de kamer binnen. Fleur schrok zich wezenloos. Geesoes! Dat was inderdaad geen ouwe bok. Die vent was een stuk jonger dan mam!

'Fleur, dit is Gerard Slicker. Gerard, dit is mijn dochter Fleur,' zei haar moeder breed lachend.

De man glimlachte en stak zijn hand uit. 'Dag Fleur,' zei hij en liet meteen haar hand weer los om zich om te draaien naar haar moeder. 'Roosje toch! Als je had gezegd dat dit je jongere zusje was, had ik het ook geloofd.'

Gatver de gatver! Ze keek meteen naar haar moeder, die zou daar dwars doorheen prikken. Nee... Nee toch... Mam tuinde erin! Ze werd nota bene helemaal rood en keek ontzettend blij en trots. Aargh! Waar was een emmer, dan kon ze even overgeven.

'Fleur, wij gaan hoor. Ik heb mijn mobiel bij me, eh, wacht even. Dat is te zeggen...' Mam keek paniekerig om zich heen. 'Waar heb ik dat ding nu weer gelaten?'

'Ah, mobieltjes, ik ben ze ook altijd kwijt. Zie je hoezeer we bij elkaar passen?' glimlachte Gerard en pakte haar moeders arm.

'Kun je vanavond niet zonder dat ding?' vroeg Fleur.

Haar moeder keek haar aan. 'Ja, maar als er nu iets is kun je me niet bereiken. Ik kan natuurlijk even het adres van het restaurant voor je opzoeken en...'

'Mam, ga nou maar, ik ben geen kleuter meer.'

'Nee, dát kun je wel zeggen,' zei de vriend van haar moeder met een diepe stem. Hij zei het op zo'n manier dat ze hem wel móest aankijken. Zijn ogen leken de hare te vangen en vast te houden, in te wikkelen in een web. Ze keek zo strak mogelijk terug en probeerde geen acht te slaan op het plotselinge gefladder in haar borst.

'Nou, veel plezier samen,' zei ze en schoot de trap op.

Even later sloeg de voordeur dicht en nestelde de opluchting zich in haar lijf. God zij dank! Wat een vreemde vent. Hij had haar zó doordringend aangekeken! En waarom had hij met zo'n rare stem tegen haar gesproken? Trouwens, nu ze erover nadacht, het ging niet eens om zijn stemgeluid, het ging om wát hij zei. Alleen de gedachte daaraan bezorgde haar weer kippenvel. Stom eigenlijk, het ging alleen maar om het woordje "dát". Daar stak iets achter. Wat?

Sophie! Sophie zou het wel weten. Snel zocht ze haar mobiel op en belde Sophie.

'Hé Fleur,' zei Sophie zodra ze opnam.

'Soof, ik móet je gewoon wat vertellen,' zei Fleur en ratelde in sneltreinvaart over die vent van de vele afspraakjes met haar moeder. Dat hij zich zojuist officieel aan haar had voorgesteld toen hij haar moeder kwam ophalen en hoe hij had gekeken en wat hij had gezegd.

'O, echt?' hoorde ze Sophie bijna juichend zeggen. 'Hij vindt je leuk! Dat kan niet anders. Niet dat ik dat zo raar vind, hoor, je bent natuurlijk schattig en zo, maar...'

'Sophie!' onderbrak Fleur haar haastig. 'Daar vond ik helemaal niks leuks aan. Ik werd er gewoon ongemakkelijk van. Ik ging bijna denken dat hij niet alleen op m'n moeder valt, maar ook op mij.'

'Welnee, doe normaal, hij wilde gewoon aardig zijn. Maar eh, is het wel een lekker ding?'

'Sophie!'

'Wat geeft dat nou? Kom op, ziet hij er een beetje leuk uit of niet?'

'Oké dan. Hij is niet echt lelijk.'

'Ja, zo vertel je nog steeds niks.'

'Hij is lang, nou ja, iets langer dan mijn moeder. Hij is slank, heeft vrij lang haar...'

'Wat voor een kleur,' onderbrak Sophie haar.

'Een beetje peper-en-zoutkleur, niets bijzonders. Hij is…'

'En wat voor kleur ogen?'

'Laat me nou eens uitpraten, daar kom ik zo op. En trouwens, weet ik veel wat voor kleur ogen hij heeft, ik heb die vent net vijf minuten gezien.'

'Ja, en in die vijf minuten heeft hij je wel twee minuten aangekeken.'

'Is waar, maar ik heb geen idee. Enfin, verder was hij best redelijk gekleed en volgens mij is hij een stuk jonger dan mijn moeder.'

'Je meent het! Niet dat je moeder er niet goed uitziet hoor, maar…'

'Ja, ik weet wat je denkt. Dat dacht ik ook. Wat moet zo'n jonge, goeduitziende kerel met mijn moeder?'

'Aha, je vindt het dus toch een lekker ding!'

'Sophie! Nee, ik vind het geen lekker ding. Oké, de buitenkant is niet onaardig, maar ik vind het een engerd.'

'Ach, doe niet zo raar. Hij is gewoon wat onhandig begonnen. En trouwens, wat kun je eraan doen?'

'Tja, wat kan ik er aan doen? Mijn moeder is smoorverliefd op hem.'

'Ja, voor even. Als jij hem echt niet leuk vindt, dan is zo'n man verloren energie voor je moeder. Ze is niet op haar achterhoofd gevallen. Maar misschien valt het allemaal wel mee en vind jij hem na verloop van tijd toch wel aardig. En zo niet, dan komt ze er gauw genoeg achter dat het op de een of andere manier niet klikt tussen jullie en dan zet ze hem zó snel en zó keihard de deur uit dat hij niet weet wat hem overkomen is,' grinnikte Sophie.

Fleur lachte. 'Ja, je moet mijn moeder niet als tegenstander hebben. O, ik ben zo blij dat ik je even gesproken heb, ik voel me meteen een stuk beter.'

'Weet je vader het al?' vroeg Sophie opeens.

'Nee, natuurlijk niet,' zei Fleur half geschrokken. 'Ik weet het zelf nog maar net. Als ik had opgelet, had ik het eerder kunnen weten, maar ik dacht dat ze gewoon voor de gezelligheid met hem uitging.'

'Ja hoor, Fleur. Voor de gezelligheid! Waarom gaan mannen en vrouwen met elkaar uit?'

'Jaha, dat weet ik ook wel, maar bij mijn moeder...'

'Ja, jij denkt dat moeders dat niet doen. Welcome to the real world, darling.'

'Houd er nu maar over op!'

Ze hoorde Sophie zuchten. 'Wat jij wilt, schat. Maar eh, misschien moet je het je vader even mailen. Met een beetje geluk wordt hij jaloers en komt het toch nog goed tussen je ouders.'

'Daar hoop ik niet meer op. Ik ben al blij dat ze vrienden zijn gebleven. Wat ga je doen vanavond?'

'Film kijken. Heb je het niet gezien in de televisiegids? Vanavond komt die film met Brad Pitt waar we het vorige week over hadden. O, wacht,' riep ze opeens en Fleur hoorde van alles vallen aan de andere kant van de lijn. 'Schiet op, Fleur, zet die televisie aan, het begint al!'

Met haar mobieltje tussen haar oor en haar schouder ingeklemd, zocht Fleur de afstandsbediening van haar televisie. 'Waar is dat stomme ding nou weer gebleven?'

'Onder je kussen misschien?' riep Sophie behulpzaam.

'O, dat zou heel goed kunnen,' zei Fleur opgelucht en haar hand schoot onder het verfrommelde hoofdkussen op haar bed. Yes! 'Oké, oké, welk net?'

Twee uur later zette ze met een glimlach de televisie uit, liep naar de badkamer en begon haar tanden te poetsen. Wat was het toch heerlijk wanneer een film goed afliep, films met een open einde...

'Fleur, ben je nog wakker?'

Snel spuwde ze de tandpasta uit haar mond en brulde dat ze in de badkamer stond. Meteen hoorde ze haar moeders voetstappen op de trap.

Ze spoelde haar mond, veegde haar lippen droog en liep de

overloop op. 'Wat ben je vroeg terug. Was het niet gezellig?'

Haar moeder liep met blozende wangen achter haar aan de slaapkamer binnen en aaide haar nonchalant door haar haren. 'Het was enorm gezellig, zoals altijd met hem. We hebben in dat kleine Franse restaurantje gegeten, weet je wel? Wij zijn er samen ook een keer geweest. Het eten was fantastisch, de wijn tongstrelend en het gezelschap kon niet beter. Maar weet je wat helemaal geweldig was?'

Fleur staarde haar overenthousiaste moeder aan en schudde haar hoofd.

'Na het dessert namen we nog een kopje koffie en toen zei Gerard dat hij me naar huis zou brengen. Ik begreep er in eerste instantie niets van. Het was pas half elf. Maar toen zei hij...' Haar moeders stem stokte en de toch al blozende wangen werden nog roder. 'O, Fleur het was echt zo lief wat hij zei, dat heb ik nog nooit meegemaakt en...'

'Ja, zeg het nou maar!' zei Fleur ongeduldig. 'Wat zei hij dan?'

'Hij zei dat hij me naar huis zou brengen omdat het doordeweeks was en ik thuis nog een meisje had dat op me wachtte. Vind je dat niet ontzettend lief?'

Tja, wat moest ze daar nu op zeggen. Ze kon toch moeilijk ontkennen dat het heel attent was. 'Ja, aardig van hem,' zei ze schoorvoetend.

'Hij weet natuurlijk dat dit jouw weekend bij mij is en dat je volgende week naar je vader gaat en toen zei hij dat we het dan net zo laat konden maken als we wilden, maar dat hij mij op dit moment niet langer van jou wilde weghouden. Heb je ooit zo'n lieverd meegemaakt?'

Gelukkig wachtte mam haar antwoord niet af, maar liep ze bijna dansend naar de badkamer. 'Volgens mij hebben we zeker de helft van de avond over jou zitten praten. Hij heeft zelf niet zo'n fijne jeugd gehad en vindt het bijvoorbeeld geweldig dat wij op onze zaterdagen allerlei markten afstruinen naar nieuwe beeldjes. Weet je dat hij zelf ook beeldjes spaart? Geen olifantjes zoals jij, maar dolfijntjes. Een man!'

Dolfijntjes! Lief, hè? Hij gaat nu ook opletten voor jou. Als hij bijzondere olifantjes tegenkomt, laat hij het weten. Vind je dat niet heel bijzonder?'

Verwonderd bekeek Fleur vanuit de deuropening van de badkamer haar moeder. Ratelend en wel verwijderde die de make-up van haar gezicht en ondertussen wiebelde ze van het ene op het andere been. Mam leek zo echt op Sophie als die weer eens een nieuw vriendje had!

'Weet je, Fleur, als ik het vanavond niet zelf had meegemaakt zou ik bijna niet geloven dat er nog zulke attente mannen zijn! Hij heeft me keurig hier voor de deur afgezet en gaat me komende week nog bellen om weer wat leuks af te spreken. Hoe is het mogelijk, hè?'

'Nou! Het is geweldig,' zei Fleur en draaide zich om omdat ze nu wel genoeg had van dat verliefde gedoe. 'Ik ga naar bed, mam, want morgen gaan we naar die curiosamarkt, weet je nog?'

Mam kwam achter haar staan en kriebelde even in haar nek. 'Sorry dat ik zo doorratel. Maar ik voel me zo gelukkig. Volgens mij ben ik nog nooit zo verliefd geweest.'

Fleur draaide zich om en staarde haar moeder aan. 'Ook niet op papa?'

'Natuurlijk was ik ook heel erg verliefd op jouw vader. Maar dat is al zo lang geleden dat ik vergeten was hoe heerlijk het is om je zo te voelen.'

Of ze wilde of niet, ze moest glimlachen. Mam keek zo gelukzalig en haar ogen straalden. 'Het is wel gek hoor, om jou zo te zien. Je blijft toch wel normaal doen, hè? Je gaat toch niet zo idioot doen als Sophie, hè?'

Mam schoot in de lach. 'Natuurlijk niet. En ik ben ons uitje van morgen echt niet vergeten. Jij zult eerst uit willen slapen, denk ik? Hoe laat zullen we dan de deur uitgaan? Uiterlijk elf uur? '

Fleur knikte en gaf haar moeder een nachtzoen op haar wang. 'Prima, welterusten.'

'Welterusten, schat.'

Hoofdstuk 2

'Fleur, sta je op?' Haar moeder schudde aan haar schouder. 'Als jij nu even gaat douchen, ga ik vast een ontbijtje maken. Wil je een gekookt of een gebakken ei?'

'Wacht even,' zei Fleur slaperig en draaide zich op haar rug. 'Eh, doe maar een gekookt ei.'

'Oké,' zei haar moeder terwijl ze naar de deur liep. 'Schiet je wel een beetje op, het is al bijna tien uur.'

Twintig minuten later schoof Fleur aan de tafel en wilde juist een boterham pakken toen de telefoon ging.

'Met Fleur.'

'Dat is ook toevallig, jou moest ik net hebben.'

'O ja? Met wie spreek ik eigenlijk?'

'O, sorry. Met Gerard. Zeg, Fleur, ik begreep van je moeder dat jullie vandaag op olifantenjacht gaan?'

'Ja…?'

'Tja, je zult wel denken, maar enfin. Ik heb een vriend en die is houtkunstenaar. Laat ik daar nou een pracht van een olifantje hebben gezien. Eentje die je nergens anders ziet natuurlijk, want hij maakt telkens maar één exemplaar en deze is werkelijk prachtig gelukt. Lijkt je dat wat?'

'Eh, nou, dat weet ik niet, ik heb hem niet gezien natuurlijk.'

'Wie is dat?' hoorde ze haar moeder achter zich zeggen.

'Gerard,' zei ze zacht met haar hoofd van de hoorn weggedraaid.

'Maar je hebt wel interesse?' vroeg Gerard aan de andere kant van de lijn.

'Eh, ja, dat denk ik wel.'

'Nou, dat is mooi. Zeg maar tegen je moeder dat ik jullie over een half uurtje ophaal. Tot straks.'

Verbouwereerd staarde Fleur voor zich uit.

'Wat is er?' vroeg haar moeder. 'Wilde Gerard mij niet spreken?'

'Nee,' zei Fleur nog steeds van haar apropos. 'Hij staat over een half uur voor de deur, want hij heeft een vriend die houtkunstenaar is en daar heeft hij een mooi olifanten-beeldje gezien.'

Haar moeders gezicht lichtte op. 'Wat ontzettend lief van hem!'

'Vind je?' vroeg Fleur bij wie de verbazing inmiddels was weggezakt en had plaats gemaakt voor irritatie. 'Ik weet niet of ik het wel zo lief vind. Voordat ik wat kon zeggen zei hij al dat hij eraan kwam. Ik wíl helemaal niet met hem ergens naar toe. Ik wil met jóú mijn zaterdagse dingen doen.'

'Doe niet zo raar, Fleur,' zei haar moeder bijna kortaf ter-wijl ze de tafel begon af te ruimen. 'Ik vind het buitenge-woon aardig. Wat kent hij jou nou? Het enige dat hij weet is dat je gek bent op olifantenbeeldjes. Om daar dan meteen achteraan te gaan, is echt heel erg attent.'

'Stop even met afruimen, ik heb nog niet eens iets gege-ten,' zei Fleur nijdig en schoof weer aan de tafel. 'Ik vind het gewoon overdreven.'

'Als je daar zo meteen maar niets van laat blijken en geen boze gezichten,' waarschuwde haar moeder terwijl ze de kamer uitliep. 'De man is gewoon galant, daar is niets over-drevens bij.'

O!! Niets erger dan een verliefde moeder! Boos smeerde ze een boterham, kwakte het gekookte ei erop, sloeg de bo-terham dubbel en stond van tafel op. Ze bleef mooi niet aan tafel zitten. Zo gezellig was het niet in je eentje!

Met grote stappen nam ze in vliegende haast de trap en boven op de overloop vergat ze het hoektafeltje met de nachtschemerlamp. 'Au, geesoes de geesoes!' brulde ze toen haar rechtervoet onzacht in botsing kwam met een van de prachtige, barokke poten van dat rottafeltje.

'Wat is er?' vroeg haar moeder onder aan de trap.

'Niks, ik stoot gewoon mijn voet aan dat stomme hoektafeltje.'

'O. De lamp is toch nog wel heel?'

Nou werd ie helemaal lekker! 'Ja hoor, maak je maar geen zorgen. Je geliefde lamp is nog heel, mijn voet niet. En mijn broodje ei is inmiddels geplet.'

'Je had ook aan tafel kunnen blijven zitten,' hoorde ze haar moeder zeggen.

'Ja, gezellig als jij aan het afruimen bent!' riep ze nog voordat ze haar slaapkamerdeur met een klap dichtsloeg. Ze ging achter haar bureau zitten, bekeek het geplette broodje en besloot dat het nog best te eten was. In vijf enorme happen schrokte ze alles naar binnen en slikte haar boosheid zo goed mogelijk weg.

Snotver, moest ze met die flapdrol op stap. Ze greep haar borstel van haar bureau en borstelde met wilde halen door de tegenstribbelende haardos. Dat haar moeder gewoon niet zag dat die vent een kwijlebabbel was! En zo verliefd dat ze het blijkbaar niet erg vond om met z'n drieën te gaan in plaats van lekker met haar dochter! En dat moest ze attent vinden. Nou ja, oké, een beetje attent was het wel, maar dit was haar weekend met mam!

Ze liep de badkamer in en pakte haar mascara. Nadat ze haar wimpers drie keer voorzichtig had bestreken, was haar woede wat gezakt. Ze bekeek haar gezicht in de spiegel en oefende een zo echt mogelijke glimlach.

'Fleur, ben je klaar?' riep haar moeder van beneden. 'Gerard staat te toeteren.'

Nou én? Laat hij lekker de toeteritis krijgen! 'Ik kom eraan.' Vlug liep ze haar kamer in, pakte haar spaarkistje en griste al het geld eruit.

'Ha, Fleur,' zei Gerard vrolijk nadat hij mam galant in de auto had geholpen en al aanstalten maakte om het achterportier voor haar te openen. Alsof ze invalide waren!

Zijn hand lag opeens op haar arm. 'Fleur,' zei hij zacht en probeerde haar blik te vangen. Maar ze had meteen die walgelijk trouwe hondenogen gezien en weggekeken.

'Fleur, sorry, als ik jouw uitje met je moeder heb bedorven. Ik weet dat dit jouw tijd met haar is, dat heeft ze me allemaal verteld. Maar dit is echt een heel bijzonder buitenkansje.'

Nu keek ze hem toch maar even aan. Bijzonder buitenkansje? Ja, voor hemzelf!

Hij liet haar arm los en staarde diepzinnig in de verte. 'Weet je, Fleur, als je zelf nooit een moeder hebt gehad, laat staan een moeder zoals jij hebt, dan kun je dat, ook als je volwassen bent, nog steeds heel erg missen. Je zou nog steeds willen dat je daar deel van kon uitmaken…'

Een snik! Echt! Hij perste er een snik uit. Nog even en ze hield het niet meer uit!

'Ja, het is goed hoor, Gerard,' zei ze snel en stapte vliegensvlug de auto in waar ze vreselijk haar best moest doen om niet te proesten.

'Wat was dat allemaal?' vroeg haar moeder zacht.

'Of ik het niet erg vond dat hij zich er zo tussen gewurmd had,' zei Fleur en staarde naar buiten.

'O,' zei mam een beetje beteuterd, maar voordat ze nog iets kon zeggen, stapte Gerard in.

'Daar gaan we dan, dames,' zei hij en startte de auto.

Na zeker vijf minuten ongemakkelijke stilte, stak Gerard zijn hand uit naar de radio. 'Dames, hebben jullie voorkeur voor een zender?'

Haar moeder zei dat ze radio twee wel leuk vond en bereidwillig zocht Gerards hand de zenderkanalen af. Zelf gaf ze geen antwoord en staarde naar buiten. Waar reden ze eigenlijk heen? Ze kende deze buurt niet.

Even later draaide Gerard een achterafstraatje in waar aan het eind twee grote loodsdeuren openstonden.

'Daar is het,' zei Gerard wijzend naar de grote deuren en parkeerde de auto even verderop.

Fleur keek om zich heen. Een stil rustig straatje en geen mens te zien. Hoewel? Achter één van de grote deuren zag ze een jongen staan die hen uitgebreid leek te bekijken. Zodra Gerard en mam echter de auto uitstapten, rende hij weg.

'Kom je, Fleur?'

'Jaha!'

Onwillig liep ze achter haar moeder en Gerard aan, maar vergat haar tegenstribbelende gedachten toen ze de deuren binnenliep. Een grote zonnige ruimte, die ver naar achteren doorliep en daar halfduister werd. Het rook er heerlijk. Pas bewerkt hout of iets dergelijks. In de banen zonlicht die de voorkant van de ruimte zo licht maakten, dansten duizenden minuscule stofdeeltjes en even had Fleur het gevoel dat er niemand anders in de ruimte aanwezig was.

'Kan ik jullie helpen?'

De vriendelijke stem kwam uit het halfduister en bleek toe te horen aan een oudere man in een beigekleurige overall.

Gerard stapte naar voren en stak zijn hand uit. 'Ha, Alfonso, wat fijn om je weer te zien.'

De man fronste even zijn wenkbrauwen, maar gaf Gerard een stevige hand. 'Help me even,' zei hij vriendelijk. 'Hebben wij…'

Gerard lachte hardop en sloeg Alfonso vriendschappelijk op zijn schouder. 'Doe niet zo raar, joh. Zeg, luister eens. Ik heb hier iemand die geïnteresseerd is in olifantenbeeldjes. Die maak jij toch?'

Gerards hand lag opeens op haar schouderblad en ze voelde hoe hij haar een duwtje naar voren gaf.

Alfonso knikte aarzelend. 'Ja, soms. Heb je iets met olifanten?' vroeg hij en keek Fleur vriendelijk aan.

Ze knikte en wist niet wat ze zeggen moest.

'Kom maar mee dan,' zei Alfonso en slofte een zijruimte in die ze nog niet eens had opgemerkt.

Ze keek even om, zocht haar moeders blik. Mam knikte.

De zijruimte bleek een grote hal te zijn met openslaande deuren naar een binnenplaats. Voor de openslaande deuren stond een enorme tafel vol met houten beelden in alle soorten en maten.

'Hier moet je maar even tussen kijken,' zei Alfonso en maakte een weids gebaar over de tafel heen. 'Heeft je vader gezegd hoeveel het mag kosten?'

'Mijn vader?' vroeg Fleur verbaasd.

'O,' zei Alfonso en schuifelde even met zijn voeten. 'Is dat niet je vader?' vroeg hij en maakte een gebaar naar waar haar moeder ongeveer moest staan.

'Nee, natuurlijk niet,' zei Fleur verontwaardigd. 'Hij is het vriendje van mijn moeder. Maar dat zou u toch wel moeten weten, hij zei dat u een vriend van hem was.'

'Tja, hij komt me wel bekend voor, hoor,' zei de man en bukte zich om onder de tafel te kijken. 'Ik ken hem ergens van…'

Alfonso wreef over zijn voorhoofd en staarde even voor zich uit tot hij zijn hoofd schudde, daarna wees hij haar op een klein beeldje. 'Olifanten, hè? Is dit wat?' vroeg hij en gaf het kleine houten dingetje aan Fleur.

Ze was meteen verkocht. Het beestje was beeldig, gewoon beeldig. Een heel klein perfect olifantje met een heel klein perfect slurfje, helemaal glad en glimmend.

'Heeft hij geen moeder?' vroeg Fleur en liet haar vinger het gladde oppervlak van het ruggetje volgen.

Alfonso lachte. 'Denk je dat het een hij is?'

'Weet ik veel,' bloosde Fleur en had meteen enorme spijt van haar stomme vraag die er zomaar uitgeflapt was.

'Kom volgende week nog maar een keer langs, dan heb ik de moeder af,' zei Alfonso en liep met haar mee in de richting van de deur.

'O, wacht even,' zei Fleur en keek de man aan. 'Wat kost het?'

'Deze mag je voor vijfentwintig euro hebben, de moeder zal meer kosten.'

'Oké,' zei Fleur en moest zich inhouden om niet te slikken. Vijfentwintig euro! Dat was al het spaargeld dat ze in haar broekzak had! Nou ja, ze moest er maar niet al te veel mee zitten. Of ze wilde of niet, ze moest Gerard gelijk geven. Dit olifantje was uniek, dat zag je toch nergens?

Ze graaide de losse munten en twee briefjes van vijf uit haar broekzak en gaf alles aan Alfonso.

'Heb je iets gevonden dat naar je zin is?' hoorde ze opeens haar moeder vragen.

Ze draaide zich om en liet het beeldje zien.

'Dat is inderdaad heel bijzonder,' zei haar moeder. Ze nam het beeldje van haar over en bekeek het van top tot teen. 'Echt heel mooi. Wat goed van Gerard, hè, om ons hier mee naartoe te nemen.'

Gerard was zo zacht dichterbij gekomen dat Fleur het eerst niet in de gaten had. Tot hij een hand op haar hoofd legde. 'Alles voor het meisje van mijn meisje,' zei hij zacht.

Gatver de gatver!

'En wat kost dit kleine meesterwerk?' vroeg hij en aaide haar nog eens over haar hoofd.

'Eh, genoeg. Ik kan het betalen,' zei Fleur en draaide zich zo ongemerkt mogelijk onder zijn hand vandaan.

'O,' zei Gerard en keek opeens een beetje sip. 'Eigenlijk had ik het voor je willen kopen.'

Fleur nam het beeldje over van haar moeder en mompelde dat dat heel aardig van hem was, maar dat ze al had betaald. 'Gaan we nu?'

Haar moeder klopte Gerard op zijn hand. Troostend, leek het wel. 'Ja,' zei ze en trok Gerard mee naar buiten.

'Wel, verd...' riep Gerard zodra ze bij zijn auto aangekwamen. 'Moet je toch eens kijken! Zelfs in deze buurt zijn er blijkbaar vandalen.' Met een boos gezicht wees hij naar de zijkant van zijn auto.

'O, wat erg,' zei mam en ging met haar hand langs de lange, diepe kras die vanaf het linkervoorportier helemaal tot aan de achterkant van de auto liep. 'Ben je allrisk verzekerd?'

'Nee, natuurlijk niet,' zei Gerard behoorlijk geïrriteerd. 'Die auto is al jaren oud, maar ik doe er wel alles mee.'

'O, jammer,' zei mam zachtjes.

Gerard draaide zich om naar mam en sloeg een arm om haar schouders. 'Sorry, dat ik zo lelijk reageerde. Ik ben gewoon geschrokken.'

Fleur keek om zich heen, maar er was niemand te zien.

Gelukkig was Gerard nadat hij haar moeder en haar had afgezet, weggereden. Niet zomaar natuurlijk. Nee, eerst had hij onderweg naar huis een heel betoog gehouden over jonge criminelen. Zelfs toen hij in hun straat parkeerde en ze al op de stoep stonden, was hij nog aan het mopperen. Mam had gezegd dat ze het jammer vond dat dit voorval een plezierige ochtend had bedorven, waarop hij zijn excuses aanbood en vertelde dat hij het zo belangrijk vond dat moeder en dochter "quality-time" hadden en dat hij daar nu al genoeg tijd van had afgesnoept. Mam had er als een verliefde puber bijgestaan en ze had gezegd dat haar dochter nu dankzij hem een pracht van een olifantje had gevonden. Zonder zijn hulp had ze dit kunstwerkje nooit ontdekt. Bla, bla, bla!

Zijzelf had zich verplicht gevoeld om iets van een bedankje te mompelen, daarna had ze zich omgedraaid en was ze naar haar kamer gegaan. Eerst had ze het nieuwe beeldje een speciale plaats gegeven in haar beeldenvitrine en had er bijna vertederd naar zitten kijken. Daarna had het wachten op mam toch allemaal wel wat lang geduurd. Pas een minuut of tien later had ze haar moeder horen binnenkomen. Zouden ze al die tijd hebben staan zoenen? O, nee, alleen de gedachte al!

Ze wilde juist uit pure verveling haar beeldjes allemaal nog maar eens afstoffen, toen ze haar moeder hoorde roepen.

'Ja?' riep ze terwijl ze haar slaapkamerdeur opendeed.

'Gaan we nog naar de markt, of niet?'

'O. Ja! Ik kom eraan.' Gelukkig, uiteindelijk was toch niet de héle dag verpest.

'Ik heb alleen één probleem, mam,' zei ze zodra ze beneden kwam.

'O, wat dan?' vroeg haar moeder terwijl ze haar jas van de kapstok pakte.

'Ik heb geen geld meer.'

Mam draaide zich om en keek haar verbaasd aan. 'Hoe kan dat nou?'

'Dat olifantje kostte vijfentwintig euro en vorig weekend heb ik bij papa nog een cd gekocht. De afgelopen week heb ik ook geen oppaswerk gehad bij de buren, volgende week pas weer, dus nu is alles op.'

'Jeetje, wil je nog wel gaan dan?'

'Kijken kost niks, mam. Mocht ik wat tegenkomen dan kan ik toch vragen of ze het nog twee weken willen bewaren? Dan heb ik wel weer voldoende gespaard.'

'Volgens mij doen ze daar niet aan. Weet je wat? Mocht je echt iets bijzonders tegenkomen dan schiet ik het wel voor,' zei haar moeder en duwde haar zachtjes naar de buitendeur. 'Kom op, Fleur, loop eens door. O nee, wacht. Mijn mobiel. Waar is dat ding nou weer?'

'Waarom stop je die stomme telefoon niet gewoon in je zak? Vanochtend lag hij nog op je nachtkastje,' riep Fleur haar moeder achterna die met grote stappen de trap opging.

Even later kwam haar moeder de trap weer af. 'Klopt, daar lag het onding. Kom op, meid, we gaan. Willen we nog iets van die curiosamarkt zien dan moeten we ons haasten. De halve dag is al voorbij.'

Snel pakten ze hun fietsen uit de box en reden in een strak tempo naar de binnenstad, waar op een van de grachten de curiosamarkt was uitgestald.

Twintig minuten later hadden ze het marktje bekeken en waren allebei licht teleurgesteld.

'Zo, dat weten we dan ook weer,' zei haar moeder terwijl ze terugliepen naar hun fietsen. 'De volgende keer hoeven we hier niet meer naartoe te gaan. Heb je nog wel zin om even mee te gaan naar de gewone markt? Ik wil nog wat fruit en groenten halen.'

'Ja hoor. Best,' zei Fleur en haalde het slot van haar fiets. 'Wat een stomme markt. Dat ze dit een curiosamarkt noemen. Er staan misschien tien kraampjes!'

'Ach, gewoon pech gehad,' lachte haar moeder alweer. 'Kijk niet zo sip, je had toch geen geld meer. Kom op, we racen naar die andere markt en dan halen we meteen lekkere kaasjes en hapjes voor vanavond. Komt er nog een beetje leuke film op de televisie, of gaan we er eentje huren?'

Hoofdstuk 3

'Ik begrijp jou niet, Fleur,' zei Claudia en propte het laatste stuk van een broodje in haar mond. 'Die Gerard probeert aan alle kanten rekening met je te houden. Dat is toch hartstikke aardig van hem?'

'Op zich is dat zeker aardig, maar wat ik dan niet begrijp,' zei Fleur terwijl ze hardhandig haar tas op de grond smeet, 'wat ik écht niet begrijp, is dat hij eerst zegt dat hij mijn tijd met mijn moeder niet wil inpikken en vervolgens sleept hij ons mee naar dat atelier! Echt, ik vond dat heus wel sympathiek en zo, vooral omdat hij daarna meteen naar huis ging. Maar daarna hangt hij bijna de hele avond aan de telefoon met mijn moeder, terwijl hij weet dat het mijn weekend is. En vóór zijn telefoontje had mijn moeder al een half uur met haar zuster Merel aan de telefoon zitten kwijlen over Gerard. Dus ik maar wachten met ons gehuurde filmpje, uiteindelijk heb ik die hele film in mijn eentje zitten kijken. En het mooiste van alles is dat ze me vanochtend vol medelijden vroeg of het wel met me ging. Toen ik zei dat alles prima ging, knikte ze meewarig en gaf me een zoen.'

'Djiezus,' zuchtte Sophie, 'doe niet zo moeilijk, Fleur. Je

moeder is verliefd en dan doe je zo. Dat hoort er allemaal bij. Wacht maar tot jij verliefd wordt.'

'Wie wordt er verliefd?' vroeg Tobias die samen met Karim aan hun tafeltje kwam zitten.

'De moeder van Fleur,' zei Claudia en veegde met de rug van haar hand haar mond af om daarna Tobias met grote ogen aan te kijken. 'Leuk hè?'

'Leuk?' vroeg Tobias en trok een gezicht alsof hij iets heel erg smerigs had gegeten. 'Er is helemaal niets leuks aan. Sinds mijn vader verliefd is, vergeet hij gewoon dat hij kinderen heeft.'

'Zie je,' zei Fleur, opgelucht dat er toch nog iemand was die met haar meevoelde, 'dat komt er ook nog bij.'

'Ja, hallo, dat is wat anders hoor,' zei Sophie verontwaardigd. 'We hadden het er nu over dat die Gerard eigenlijk best een aardige vent is.' Sophie wierp haar hoofd in haar nek en stak theatraal haar armen uit. 'Waarom is mijn vader niet zo? Omdat hij blijkbaar niet meer verliefd is op mijn moeder. Ach, een mens kan niet alles hebben. Hij houdt in ieder geval wel van haar, anders was hij ongetwijfeld al lang vertrokken. Beste mensen, ik ga even thee halen. Wie wil er nog wat?'

Fleur, Tobias en Karim schudden gelijktijdig hun hoofd, maar Claudia stond op en liep mee.

Karim keek Fleur van onder zijn wenkbrauwen aan. 'Ik wist eh, niet eens dat je op die leeftijd verliefd kon zijn,' stotterde hij en staarde hoogrood naar zijn handen.

Fleur knikte. 'Blijkbaar wel dus. Waarom moest mijn moeder nou uitgerekend op hem verliefd worden?'

'Wat is er dan met die vent?' vroeg Tobias zacht aan Fleur.

'Ach, ik zal het me wel verbeelden,' zei Fleur even zacht.

'Nee, kom op, vertel.'

Binnen vijf minuten had Fleur het hele verhaal verteld. Karim had een nog roder hoofd gekregen en zou nu zeker niets meer zeggen, bedacht Fleur. Tobias gaf ook niet direct antwoord, het leek alsof hij diep in gedachten verzonken was.

'Tja, eh, nou, hij is wel attent ja, aardig en zo,' zei hij uit-eindelijk. 'Maar het is wel een beetje raar dat hij de avond daarvoor op zo'n vreemde manier zegt dat jij geen kind bent. Zei hij dat echt zo, of, dacht jij, eh...'

'Natuurlijk zei hij dat zo!' riep Fleur verontwaardigd. 'Anders zat ik er nu toch niet zo mee?'

'Eh, nee, eh, natuurlijk niet. Nou het is eh, nou, eh, hoe zeg je dat, eh, niet goed in ieder geval.'

Veel meer tijd om erover te praten was er niet. De bel ging en de kleine pauze was afgelopen.

'Zullen we er straks nog verder over kletsen? Dan fiets ik met je mee naar huis, goed?' vroeg Tobias en keek over haar hoofd naar de blijkbaar interessante deur van de kantine.

'Eh, ja, eh, dat is prima,' zei Fleur hakkelend en viste zo nonchalant mogelijk haar tas van de vloer. Tobias was nog nooit met haar meegefietst. Had ze iets gemist?

'Ik wacht op je bij het fietsenrek,' zei Tobias en rende bijna de kantine uit waarop Karim trouw volgde.

'Wat heeft hij?' vroeg Sophie die met een papieren beker thee in haar handen voorzichtig aan kwam lopen.

Fleur haalde haar schouders op. 'Geen idee, hij vroeg of hij straks met me mee mocht fietsen om...'

'Wat?' vroeg Claudia die er ook bijgekomen was, met een rood hoofd.

'Maak je geen zorgen,' zei Fleur en keek zo neutraal mogelijk. 'Jij mag hem hebben hoor, ik zie niks in die jongen.'

'O, maar eh, daar zei ik het niet om. Echt niet,' benadrukte Claudia met een vuurrood hoofd.

'En wij dan?' vroeg Sophie verontwaardigd. 'Wij hadden ook na school afgesproken! Was je dat vergeten?'

'Nee, natuurlijk niet. Dat kan toch nog steeds? Je fietst gewoon mee.'

'Echt niet! Ik ga niet als derde wiel aan de wagen fungeren.'

'Doe niet zo moeilijk, het is geen afspraakje of zo,' zei

Fleur en duwde haar vriendin in de richting van de kantine-deur. 'Maar nu moeten we echt opschieten, anders komen we te laat in de les.'

'Waarom ging Sophie niet mee?' vroeg Tobias toen ze naar huis fietsten.

'Geen idee,' zei Fleur met een rotgevoel in haar maag.

Ze zag wel dat Tobias even opzij keek, maar ze deed net of ze het niet zag.

'Hoe ga je het thuis oplossen?' vroeg hij even later.

'Weet ik niet,' zei Fleur hijgend omdat Tobias er goed de vaart in hield. 'Mijn moeder is verliefd op hem.'

'Ik zou het in ieder geval met je moeder bespreken. Je kunt het toch goed met haar vinden?'

'Ja, prima. Toch denk ik niet dat ze rustig naar me zal zitten luisteren. Ik kan niet eens precies zeggen wat ik ervan vind. Het is alleen maar een gevoel.'

'Dat geeft toch niks? Ik zou er toch gewoon over praten. Hé, er staat iemand bij jullie voor de deur,' zei Tobias toen ze haar straat indraaiden.

'Nee hè,' zei Fleur en voelde haar humeur naar het nul-punt dalen. 'Dat is Gerard, wat komt hij nou doen?'

'Dag Fleur,' zei Gerard opgewekt toen ze vlak bij hem van hun fiets stapten. 'Ik kwam even wat verf brengen. Je moeder wil de keuken gewit hebben, dus heb ik aangebo-den dat te doen. Ik had toch nog genoeg emmers witsel in mijn werkplaats staan. O, sorry, jongen,' zei hij joviaal tegen Tobias en stak zijn hand uit. 'Ik vergeet me voor te stellen. Ik ben Gerard, de vriend van Fleurs moeder.'

Verlegen gaf Tobias een hand en mompelde zijn naam.

'Wat handig dat jij er bij bent,' zei Gerard en liep naar de rand van de stoep waar zijn auto geparkeerd stond. 'Mis-schien kun je me even helpen met die emmers verf? Het zijn er drie en ik kan er maar twee per keer meenemen. Fleur, kun jij boven alvast de deur opendoen?'

Fleur stond met open mond te kijken hoe Tobias meteen

zijn fiets tegen de muur kwakte en achter Gerard aan hob-
belde om een bus verf uit zijn auto te pakken.

'Fleur, ga dan,' zei hij ook nog terwijl hij met zijn vrije
hand naar boven wees.

Waarom was Gerard hier terwijl mam er niet was?

Zo langzaam mogelijk bracht ze haar fiets naar de box en
wandelde de trap op naar boven waar ze in slow-motion de
deur openmaakte.

'Ah, gelukkig,' steunde Tobias en smakte de bus verf op
de keukentafel. 'Weet je wel hoe zwaar zo'n emmer is?'

'Er zit tien liter in elke emmer, dus ik heb natuurlijk veel
te veel meegenomen,' zei Gerard en zette de andere twee
bussen ook op de keukentafel. 'Maar weet je wat het is?
Wanneer je eenmaal ergens één plafonnetje gaat witten, dan
willen ze daarna de rest ook. Bij al mijn klanten is het altijd
al zo gegaan, zeker wanneer het vrouwen betreft. Leer mij
vrouwen kennen, wat jij, Tobias?' grinnikte hij en gaf Tobias een vriendschappelijke tik op zijn schouder.

Tobias lachte en zette zijn borstkas uit. 'Niets veranderlij-
ker dan een vrouw, zegt mijn vader altijd. Volgens mij heeft
hij gelijk.'

Gatver de gatver! Tobias ging meedoen!

Gerard draaide zich om en keek haar overdreven lief aan.
'Zeg Fleurtje, ik ga nu niet meer terug naar mijn werkplaats,
die is midden in de stad en je weet hoe druk het daar is om
deze tijd. Met jouw goedvinden plof ik hier even neer. Denk
je dat ik kans maak op een lekker kopje thee?'

Met jouw goedvinden! Alsof ze nu nog "nee" kon zeggen!
Met een ruk draaide ze zich om, vulde de waterkoker en
drukte het aan- en uitknopje in. Ze spoelde met wilde gebaren de theepot om met heet water en stond demonstratief
met haar rug naar de anderen te wachten tot het water zou
gaan koken.

Het leek wel of Gerard en Tobias haar helemaal niet mis-
ten. Ze waren op hun gemak aan tafel gaan zitten en vooral
Gerard kletste honderduit. Het ene verhaal over zijn werk

na het andere en toen ze half over haar schouder keek, zag ze dat Tobias als een klein jongetje dat naar een spannend roversverhaal luistert, aan zijn lippen hing.

Woedend schonk ze het kokende water op het theezakje, pakte theeglazen uit het kastje boven het aanrecht en schonk de thee in. Veel te slap natuurlijk, maar het kon haar niet schelen.

'Lief van je,' zei Gerard vriendelijk. 'Ik heb je natuurlijk wel overvallen, hè? En dan pik ik ook nog eens je vriendje in. Nee,' zei hij toen Fleur wilde antwoorden. 'Nee, echt, maak je geen zorgen. Ik kwam alleen die verf brengen en na dit heerlijke kopje thee ga ik naar huis. Maar vanaf morgen zul je me wat vaker zien. Ik kom elke dag om een uur of drie, meteen na mijn werk, hierheen. Des te eerder is alles klaar. En zolang het licht is kan ik aan de slag.'

'Ja, met kunstlicht krijg je natuurlijk schaduwen, hè?' zei Tobias alsof hij ook dagelijks schilderwerk deed.

Gerard knikte. 'Het kan wel hoor, maar dan moet je er grote bouwlampen op zetten en wat denk je dat die aan stroom kosten? Heb je wel eens geschilderd?'

Tobias bloosde. 'Nou, eh, nee, alleen mijn vader een beetje geholpen. Ik mocht de plinten lakken.'

'O, maar dat is nog een heel precies werkje hoor. Dat lukt echt niet iedereen. Is het goed gelukt?'

'Ja, ik geloof van wel.'

'Toevallig ben ik op zoek naar een hulpje. Je weet wel, kwasten schoonmaken, schuren, grote oppervlakten in de grondverf zetten. Het moet iemand zijn die ik kan vertrouwen. Voel jij daar iets voor?'

'Eh, nou, eh, ik weet niet…'

'Het verdient vijf euro per uur.'

'O, dat eh…'

'Dat verandert de zaak, hè? Ja, jongen, tijd is geld, zelfs als je jong bent. Kun je aanstaande zaterdag beginnen?'

Tobias knikte en werd nog roder toen hij Fleur naar hem zag kijken.

'Mooi,' zei Gerard tevreden. 'Als je me zo even je adres geeft, dan kom ik je zaterdagochtend om acht uur ophalen, oké?'

De buitendeur ging open en hijgend kwam mam binnen. 'O, je bent er al,' zei ze opgelucht toen ze Gerard aan de keukentafel zag zitten. 'Hé, wat is het hier gezellig. Wie heb je meegenomen, Fleur?'

Tobias stak zijn hand uit, zei zijn naam en vertelde er meteen maar bij dat hij bij Fleur in de klas zat. Fleur beet op haar lip. Niemand zat blijkbaar op haar antwoord te wachten. Mam schonk voor zichzelf ook thee in, gaf Gerard een kus op zijn mond en ging er gewoon gezellig bijzitten. Ze keek niet eens naar haar! Terwijl ze als een vergeten Assepoester aan het aanrecht stond!

Ze kwakte haar thee in de gootsteen en keek Tobias zo koel mogelijk aan. 'Ik weet niet wat jij gaat doen, maar ik ga naar boven.'

Tobias keek op zijn horloge. 'O, sorry, ik wist niet dat het al zo laat was. Ik moet naar huis. Nou, eh, ik zie je morgen, hè?' Daarna gaf hij Gerard en mam een hand en voordat ze het wist viel de voordeur dicht.

'Fleurtje toch!' zei mam en keek haar glimlachend aan. 'Sinds wanneer heb jij een vriendje?'

'Hij is helemaal mijn vriendje niet!'

'Het is anders de eerste keer dat jij een jongen mee naar huis neemt.'

'En het is ook meteen de laatste keer,' snauwde Fleur en liep naar de gang terwijl ze de verbaasde blik van haar moeder in haar rug voelde branden. 'Ik heb huiswerk, ik ga naar boven.'

Stampend nam ze de trap, deed bovengekomen haar deur open en klapte hem zó hard dicht dat de ruiten in hun sponningen stonden te trillen. Geesoes! Niets ging nog zoals zij het wilde!

Binnen twee minuten ging haar slaapkamerdeur weer open en stond mam in de opening. 'Heb ik iets verkeerds gezegd?'

'Nee.'

'Echt niet?'

'Neehee!'

'Wil je dan ophouden met dit vreemde gedrag?'

Fleur draaide zich om en keek haar moeder aan. 'We gaan het toch niet over vreemd gedrag hebben, hè?'

'Wat bedoel je daarmee?' vroeg haar moeder niet-begrijpend.

'Als je dat niet doorhebt, hoef ik er ook geen moeite voor te doen,' zei ze en wist dat ze zich onmogelijk gedroeg.

'Weet je, Fleur,' zei mam gevaarlijk rustig, 'denk jij maar eens een poosje na over wat jou dwarszit. Ik stel het op prijs wanneer je pas bij het eten naar beneden komt. Ik hoef je nu even niet te zien.' Mam draaide zich om en liep de trap af naar beneden zonder antwoord af te wachten.

Fleur legde haar armen voor zich op haar bureau en daarop haar hoofd. Een hoofd dat van het ene op het andere moment loodzwaar aanvoelde. Had ze nu ruzie met mam? Ze stompte op het bureaublad. En dat allemaal door die stomme Gerard! Pikte eerst mam in en nu viel blijkbaar Tobias ook voor hem. Hoe was het mogelijk, zag niemand...

Midden in haar gedachten hield ze op want ze had haar naam gehoord. Op haar tenen sloop ze naar de gang, boog zich over de balustrade en besefte dat ze een gesprek tussen mam en Gerard stond af te luisteren.

'... Fleur is vijftien, het is logisch dat ze jaloers is. Heb een beetje geduld met haar,' hoorde ze Gerard zeggen.

'Fleur is nog nooit jaloers geweest.' Mams stem.

'Daar had ze toch ook nooit reden toe? Maar nu zijn de zaken veranderd. Haar moeder heeft een vriendje. Wat is er dan logischer dat zij de volgende dag ook met een vriendje thuiskomt?'

Wát? Die vent was niet goed snik!

'Zo zit Fleur niet in elkaar,' hoorde ze haar moeders stem.

'Nee, zo had ik haar ook niet ingeschat en geloof me, ik heb daar kijk op. Ik maak heel veel mee in het dagelijks leven en zie en hoor heel wat. Als ik je al de verhalen moet vertellen die vrouwen mij toevertrouwen over hun probleemkinderen! En begrijp me niet verkeerd, jouw kind is geen probleemkind, jouw kind is gewoon jaloers. Daar is helemaal niets mis mee, hoor. Het gaat vanzelf weer over. Wedden dat ze over een week of twee die Tobias dumpt? Dan is het nieuwtje eraf en zal ze met wat anders op de proppen komen. Leer mij die jonge meisjes kennen!'

Die vent was écht gek! Hij kende haar helemaal niet!

'Ik weet het niet. Zoals ze vandaag deed, heeft ze nog nooit gedaan,' hoorde ze haar moeder verdrietig zeggen.

'Roosje toch! Kom eens hier,' zei de kwijlstem van Gerard. 'Ik weet wel een goede remedie tegen je zorgen.'

Smakgeluiden! Snel liep ze op haar tenen terug naar haar kamer en liet de deur op een kier staan. Ze moest die Gerard in de gaten houden, wie weet wat hij nog meer over haar te zeggen had.

'Dag Fleur, tot morgen,' hoorde ze Gerard van beneden roepen.

Als hij maar niet dacht dat ze wat terug zei. Echt niet! Ze hoorde de buitendeur dichtvallen en wachtte op haar moeders voetstap op de trap.

Na tien minuten begreep ze dat mam niet naar boven kwam. Dan niet. Ze zou gewoon aan haar huiswerk gaan en doen alsof er niets aan de hand was. Ze keek op haar wekker en zag dat ze nog zeker een uur had voordat ze zouden gaan eten. Zou mam in die tijd echt niet even naar boven komen?

Drie kwartier later had ze in ieder geval al het maakwerk gedaan. Het leerwerk liet ze maar rusten. Op de een of andere manier floepte alles wat ze erin wilde stampen er zo weer uit. Zou ze al naar beneden kunnen gaan? Het was natuurlijk nog geen etenstijd, maar ze rook de zuurkool, dus veel kon het niet schelen. Stel je voor dat mam zei dat... Nee, dat zou ze niet doen. Dat deed ze nooit. Die enkele keer dat ze een verschil van mening hadden gehad, was haar moeder altijd blij als ze weer gewoon deed. Kom, ze moest niet treuzelen. Hoe eerder ze dit achter de rug had, hoe beter.

Beneden was het stil. Mam zat aan de keukentafel de krant te lezen en keek niet op. Ook niet toen ze recht tegenover haar moeder aan tafel ging zitten.

Aarzelend schoof ze haar hand naar haar moeder toe. 'Mam,' zei ze en hoorde zelf hoe smekend haar stem klonk.

Mam keek op en Fleur zag hoe bleek ze was. 'Het spijt me, mam,' zei ze en wist niet eens wat haar dan zo speet.

Mam pakte haar uitgestoken hand en bekeek die alsof ze zo'n hand nog nooit gezien had. 'Ben je jaloers, Fleur?'

Met een ruk trok ze haar hand terug. Mam geloofde Gerard!

'Nou?'

'Denk jij dat echt, mam? Of heeft iemand anders je dat ingefluisterd?'

Haar moeder stond op en liep naar het aanrecht. 'Laat maar, Fleur. We vergeten het voor vanavond.'

'Nee!' Ze schreeuwde en dat wilde ze helemaal niet. Ze wilde kalm en reëel zijn. 'Mam, echt, ik ben niet jaloers. Maar Gerard...'

'Fleur, stop daar eens mee. Sinds wanneer schreeuw jij tegen mij? Vertel nou eens rustig waarom je zo overstuur bent.'

Ze slikte en probeerde uit alle macht weer controle over haar ademhaling te krijgen. 'Nou, eh, ik hoorde, eh, ik hoorde hem zeggen dat het logisch was dat ik jaloers was en...'

'En dat deed zeer, of niet?' vroeg haar moeder terwijl ze de aardappels fijnprakte. 'Ik dacht eerst ook dat jaloezie niet bij jou paste. Maar ik heb er even over nagedacht. Nee, wacht even,' zei ze met opgeheven hand omdat ze wel wist dat haar dochter nu iets zou willen zeggen. 'Meestal ben jij helemaal niet jaloers. Daar heb je nooit reden toe gehad. Omdat we altijd samen zijn. Of je bent samen met je vader.

Nu is daar opeens een vreemde bij gekomen. Iemand die mij leuk vindt. Iemand die, net als jij, mijn aandacht vraagt. Dat valt niet mee.'

'Dat is het niet, mam, echt niet.'

'Wat is het dan wel, Fleur?'

'Ja, nou, gewoon, zoals hij naar me kijkt en hoe hij dingen zegt en dat hij hier meteen is om te schilderen en met Tobias en...'

Haar moeder knikte langzaam en deed een klontje roomboter bij de aardappelen voordat ze de zuurkool er bovenop legde. 'Ja, dat met Tobias kwam vast wel hard aan. Die twee konden het meteen prima met elkaar vinden. En dan ook nog een moeder die verliefd is op die man. En terwijl jij nog even aan hem moet wennen komt hij hier ook nog eens aan de deur terwijl ik er niet ben. Om te schilderen. Om vrienden te maken met Tobias. Tja,' zuchtte haar moeder en stampte de aardappelen en zuurkool door elkaar waarna ze de pan op het kleinste pitje van het fornuis zette. Daarna haalde ze een klein juspannetje uit de koelkast en zette dat op het fornuis. Ze draaide het gas aan en naar de laagste stand voordat ze zich omdraaide en tegenover Fleur aan tafel ging zitten. 'Toen ik er daarstraks over nadacht, begreep ik jouw reactie wel. Misschien zou ik wel hetzelfde hebben gereageerd. Begrijp je dat je gedrag van daarstraks voor anderen, maar ook voor mij, wijst in de richting van een heel klein beetje, best wel begrijpelijke jaloezie?'

Fleur knikte aarzelend. 'Eh, nou, misschien. Een heel, heel, heel klein beetje, echt mam, meer is het niet.'

Mam lachte, stond op en aaide even over haar wang. 'Weet ik toch. Nou, zal ik dan maar opscheppen?'

Hoofdstuk 4

Zodra ze de volgende dag het schoolplein op kwam fietsen zag ze Tobias samen met Karim bij Sophie staan kletsen. Ze stak haar hand omhoog, maar midden in de zwaaibeweging trok ze diezelfde hand zo onopvallend mogelijk terug. Ze keken niet eens naar haar.

Ze kwakte haar fiets in het fietsenrek en liep op haar vrienden af. 'Hoi,' zei ze bijna schuchter.

'Hoi,' zeiden ze gelijktijdig en Sophie draaide meteen haar hoofd de andere kant op waar ze Claudia had ontdekt. 'Hé, Claudia,' riep ze en liet Fleur met Tobias en Karim achter.

'Zeg, die Gerard valt reuze mee. Ik vind het best een aardige vent, of mag ik dat niet zeggen?' begon Tobias.

'Tuurlijk wel, joh,' zei ze snel. 'Laat maar.'

'Oké,' zei Tobias en ze zag hoe opgelucht hij was. 'Mijn vader vindt het een goed idee, dat ik bij hem ga werken.'

'Leuk voor je,' zei Fleur en moest alle moeite doen om vriendelijk te blijven kijken. 'Zeg jongens, sorry hoor, maar ik ga vast naar binnen. Ik heb het koud en ik wil een beker hete thee.'

In de kantine schoof ze als vanouds aan hun geclaimde tafeltje en gluurde vanonder haar wimpers of Sophie en Claudia al binnenkwamen. Dat duurde niet lang en tot Fleurs opluchting kwamen ze, alsof er niets aan de hand was, bij haar zitten.

'Sorry voor gisteren, Soof,' floepte ze er meteen uit. 'Wat mij betreft had je echt wel mee kunnen fietsen.'

Sophie gaf haar een vriendschappelijk duwtje. 'Zit wel goed, joh. Vertel, hoe was dat gesprek met Tobias?'

'Dat stelde niets voor. Onderweg hebben we wel wat gepraat, maar zodra we onze straat inreden stond Gerard bij ons voor de deur. Hij kwam bij ons een plafonnetje witten, had hij afgesproken met mijn moeder en ik wist van niks! Daar stond ik dan en hij ondertussen maar vrolijk doen met Tobias. Hij vroeg meteen of Tobias even kon helpen met emmers verf sjouwen en je raadt het nooit, die twee leken direct dikke vrienden. Gerard bood hem een kwartier later een baantje aan als zijn hulpje.'

'Zie je nou, die Gerard is gewoon een aardige vent,' zei Sophie en keek om zich heen. 'Waar is Tobias eigenlijk?'

'Weet ik veel,' zuchtte Fleur. 'Het kan me niet schelen ook. Laat hem maar lekker even wegblijven. Ik wilde dat ik hetzelfde van Gerard kon zeggen. Die komt voorlopig een paar dagen vanaf drie uur 's middags bij ons schilderen. Lekker thuiskomen voor mij.'

'Ach Fleur, kom op! Overdrijf je het nou niet een beetje? Zelfs Tobias vindt hem aardig. Ik zou bijna medelijden met die Gerard krijgen. Weet je wat,' zei ze toen ze Fleurs gespannen gezicht zag, 'je komt na school gewoon met mij mee en dan ga je pas naar huis als je moeder er is. Trouwens, vrijdag ga je toch al weg naar je vader.'

Dat was waar. O, heerlijk, lekker naar pa en geen Gerard om je aan te ergeren. Oké, pa had ook niet altijd tijd, negen van de tien keer was hij aan het werk en gedroeg hij zich als een verstrooide professor. Hij hoorde vaak niet eens wat ze hem vertelde, maar hij was wel de grootste schat van de wereld!

Ergernis was er de rest van de week genoeg tijdens het avondeten. Mam stond erop dat Gerard elke avond bleef eten en dat gebeurde dus ook. Elke avond dat lieflijke gedoe! Fleurs humeur zakte meteen al tijdens de eerste avond naar het nulpunt.

Gerards gevoel voor humor kon ze echt niet waarderen. Welke idioot vond het dan ook leuk om een draadje te spannen tussen de salontafel en de bank en dan maar wachten tot zij erover zou struikelen. Wat uiteraard meteen gebeurde!

Maar het ergst vond ze nog dat zelfs mam erom gelachen had. Woedend was ze toen naar boven gegaan. Dat zou haar niet nog een keer gebeuren. Vanaf dat moment had ze het aanbod van Sophie aangenomen. Elke avond kwam ze pas tegen zes uur thuis en ging na het eten direct naar boven met het excuus dat ze veel huiswerk had. Even had ze nog de bibbers gehad voor woensdagavond, mams avondje uit met haar vriendinnen, maar mam had de avond afgezegd en bleef thuis. Gerard was er immers. Hij was nog niet klaar met het schilderwerk en ging ook 's avonds door, hoewel hij die woensdagavond niet veel deed omdat hij twee keer gebeld werd en zijn geduld verloor bij het tweede telefoontje. Omdat mam er wel even van opkeek vertelde hij dat hij een oude zeurkous aan de lijn had gehad die elke week wel een keer belde omdat ze weer een schilderklusje voor hem had bedacht. Hij kreeg genoeg van die oude dame, hij was tenslotte geen maatschappelijk werker. Mam had haar armen om hem heen geslagen en gezegd dat hij ook dat goed zou kunnen.

Ze was maar naar boven gegaan. Het enige voordeel aan de situatie was dat ze met alles bij was. Al haar huiswerk was gedaan en zelfs geleerd en haar vitrinekast met beeldjes was nog nooit zo stofvrij geweest.

Ze fietste nog wat harder. Vanavond ging ze lekker naar pa. Ze zou meteen haar tas inpakken, dan kon ze misschien wel een trein eerder nemen. Wel vervelend dat pap helemaal in Maastricht woonde, elke keer was het een roteind met de trein.

Ze klapte haar fiets in het gangetje naar de box en spurtte de trap op naar boven.

'Hé, pas op,' hoorde ze meteen toen ze de deur opendeed. 'Kijk uit dat je niet tegen de muren aanloopt, die zijn nog niet droog,' zei Gerard. Hij draaide zich om en kwam van de ladder af die precies voor de helft in de opening naar de keuken stond. De andere helft stond in de smalle gang waar ze net naar binnen was gestapt.

'Kijk,' zei Gerard en wees naar een hoekje van het plafond. 'Het heeft eindelijk gedekt. Wat leuk dat je een keer vroeg thuis bent. Voor mij is het ook een mooie tijd om te stoppen vandaag, het is tenslotte vrijdag. Hoe was het bij jou op school?'

'Best,' zei Fleur kortaf.

'En hoe is het met je vriendje?'

'Tobias is helemaal mijn vriendje niet, hij is gewoon een klasgenoot.'

Gerard wreef met een smerige doek de spetters van zijn handen en bleef haar aankijken. 'Natuurlijk is het jouw vriendje niet. Dat wist ik wel. Wat moet jij met zo'n jongetje? Nee, volgens mij heb jij veel meer behoefte aan een wat oudere vriend. Iemand die jou van alles kan leren.'

Ze zag zijn ogen haar van top tot teen bekijken en voelde het kippenvel over haar armen rimpelen. 'Ik heb helemaal geen behoefte aan wat voor vriendje dan ook. En mag ik er langs, ik moet mijn tas nog inpakken.'

'Natuurlijk. Ga gerust je gang, het is nu wel een beetje krap en je moet goed oppassen voor de muren,' zei Gerard vriendelijk en ging één centimeter opzij.

Dacht hij nou echt dat ze er zó langs kon?

'Dat gaat zo niet,' zei ze kort en keek naar haar voeten.

'Natuurlijk wel. Met een beetje goede wil en als we allebei onze buik inhouden, dan lukt het makkelijk.'

Echt niet! 'Hé, jij zei toch dat het gedekt had?' zei ze vriendelijk en wees naar het hoekje op het plafond achter hem.

Hij draaide een kwartslag en keek omhoog.

Die kwartslag was genoeg en ze glipte langs hem. 'O, nee, wacht,' zei ze even vriendelijk terwijl ze op de onderste trede van de trap naar boven stond. 'Volgens mij was het de lichtval.'

Hij draaide zich om en keek haar uitdrukkingsloos aan. 'Ja, dat zal wel.'

'Eh, ik ga inpakken.' Ze rende naar boven, stoof haar

kamer in en smeet de deur dicht. Oef, wat een enge vent. Hij zou… Haar mobiel tringelde. Op de display zag ze dat het haar moeder was.

'Hoi mam.'

'Hé Fleur. Heb je al ingepakt?'

'Ik ben bezig, hoezo?'

'Als je binnen tien minuten klaar kunt zijn, hoef je niet met de fiets naar het station. Ik ben in de buurt voor een klant en kan je wel even oppikken.'

'O geweldig, mamsie. Ik zorg dat ik over tien minuten beneden sta. Tot zo.'

Vliegensvlug gooide ze een spijkerbroek, een zwarte broek, wat truitjes en wat lingerie in haar sporttas, meer had ze niet nodig. Huiswerk. Ja, dat moest mee. Maandag een repetitie.

Vijf minuten later liep ze de trap af en juist toen ze links-af de gang in wilde lopen botste ze tegen Gerard aan.

'Was dat nou zo erg, Fleurtje?' zei hij zacht en liet zijn stinkende vingers over haar gezicht gaan.

Met een ruk trok ze haar hoofd weg. 'Laat dat,' snauwde ze. 'Dat doe je maar lekker bij mama, niet bij mij.'

'Zeg,' zei hij en zijn stem schoot de hoogte in. Zijn stinkende handen pakten haar bovenarmen vast. 'Wat denk jij wel? Ik probeer alleen maar contact met je te krijgen. Ik wil alleen maar aardig zijn.'

'O! Noem je dat aardig? Ik heb daar heel andere ideeën over. En laat me er nu door, mama wacht op me.'

'Fleurtje,' bijna smekend was zijn stem. 'Ik bedoel het goed hoor, echt.'

'Ja, dat zal wel,' zei Fleur en glipte onder zijn arm door die hij net boven haar hoofd tegen de nog vochtige muur aan liet leunen. Terwijl ze hem hoorde vloeken, graaide ze haar jas van de kapstok en haastte zich de deur uit.

Beneden gekomen zag ze meteen de auto van haar moeder en rende er naartoe.

'Mam, die Gerard is een engerd,' zei ze zodra ze instapte.

'Ook goedemiddag,' zei haar moeder voordat ze optrok. 'Waar haal je dat nu weer vandaan? O, wacht,' zei ze en deed een greep in haar handtas die tussen haar stoel en de passagierstoel stond. 'Ik word gebeld.'

Ze wierp een blik op het display van haar mobiel en zuchtte. 'Mijn baas, ik ga maar even langs de kant staan.' Ze parkeerde de auto langs de stoep en nam op. 'Ja Alex, zeg het eens.'

'...'

'Nee joh, ik ben onderweg, maak je geen zorgen. Ik ben er met tien minuten. Tot zo.' Met een geïrriteerd gebaar smeet ze het mobieltje op de achterbank. 'Die man denkt dat ik binnen een paar minuten door de hele stad ben. Echt, Fleur, ga later nooit in de sales werken, soms word ik er stapeldol van. Maar wat zei je daarstraks ook alweer?'

Fleur keek naar het geagiteerde gezicht van haar moeder en zag de snelheidsmeter oplopen naar zeventig. 'Mam, we rijden in de bebouwde kom.'

'Wat?' zei haar moeder, over haar schouder kijkend of ze kon afslaan zonder een fietser omver te rijden. 'O ja, dat is waar.' Ze minderde vaart tot zestig en keek even opzij. 'Wat was er nou?'

'Niks bijzonders,' zei Fleur en glimlachte naar het rode gezicht naast haar. 'Het komt wel een andere keer. Trouwens, die straat daar is eenrichtingsverkeer, weet je dat?'

Haar moeder gromde en de snelheidsmeter ging naar vijfenzestig.

'Mam, ik kan hier best de tram nemen hoor, ik heb een OV-pas.'

'O. Weet je het zeker? Ja, ik ben later dan ik dacht en...'

'Kijk, daar kun je stoppen,' zei Fleur toen ze zag dat er een parkeerplaats vrijkwam.

Mam dook er meteen in. 'Oké dan. Red je het zo?'

Snel gaf ze haar moeder een kus op haar wang en stelde haar gerust door te zeggen dat het echt niet de eerste keer was dat ze zelf naar het station ging.

'Veel plezier en tot zondag, hè?'

Voordat ze antwoord kon geven, was haar moeder alweer vertrokken. Schouderophalend liep ze naar de tramhalte en twintig minuten later zat ze in de trein. Ze stuurde haar vader een berichtje dat ze in de trein zat, propte daarna haar jas tot kussenformaat en schoof het pakketje tussen haar hoofd en het raam. Meer dan twee uur in de trein kon je het best slapend doorbrengen.

'Páp!' gilde ze en zwaaide met wilde gebaren naar de lange man die aan het eind van het perron stond te wachten.

Een glimlach brak zijn strakke uitdrukking en hij zwaaide even wild terug. O, hij was toch echt de mooiste man van de wereld. Voor zijn leeftijd. Dat prachtig golvende, nog bijna volledig zwarte haar en zijn lengte maakten dat hij er altijd uitsprong in een menigte. Ze rende op hem af en sloeg meteen haar armen om zijn middel. 'Hoi pap.'

'Dag meisje. Wat heerlijk dat je er weer bent,' zei hij blij en nam meteen de tas van haar over. 'Kom, dan gooien we eerst deze tas thuis neer. En, verrassing, ik hoef vandaag niet meer naar de zaak, we gaan lekker uit eten op het plein, goed?'

'O ja, gezellig,' zei ze en voelde haar hart een stuk lichter worden. Zodra ze bij haar vader was kreeg ze een vakantiegevoel. Elke keer weer. Ze wist heus wel dat dat kwam omdat ze niet bij haar vader woonde, maar het kwam ook door de vrolijkheid die altijd rond haar oude heer hing. Zelfs in de periode dat mam en hij uit elkaar waren gegaan, had hij geprobeerd toch opgewekt te zijn. Dat had hij uiteraard voor haar gedaan, maar dan nog vond ze het heel knap.

Vijf telefoontjes en een uurtje later liepen ze samen over het Vrijthof en besloten bij een van de verwarmde terrasjes te gaan eten.

'Zo, ik zet mijn telefoon uit,' zei haar vader en drukte op een knopje van zijn mobiel. 'Ze doen het maar even zonder mij. Vertel, Fleur. Hoe is het op school en hoe is het thuis?'

'Op school gaat het redelijk. Kijk, pap, we weten allebei

dat ik nooit een ster zal worden in natuur- en scheikunde, maar voor de rest gaat het prima. Tja, en thuis...' Ze nam een slok van haar sinaasappelsap. Moest ze het zeggen of niet?

'Wat is er thuis?' vroeg haar vader en legde de menukaart op zijn bord.

'Eh, tja, nou, mama heeft al een tijdje een vriend.'

'O,' zei haar vader en pakte de menukaart weer op. 'Zo, zo,' ging hij verder en bekeek de voorgerechten. 'Is het een leuke man?'

'Nee.'

De menukaart zakte en zijn ogen zochten de hare. 'Hoezo?'

'Nou, eh, mama vindt hem leuk, maar ik... ach, het zal wel aan mij liggen,' zei Fleur en pakte de andere menukaart die naast haar bord lag.

De hand van haar vader duwde haar kaart naar beneden. 'Nee Fleur, kom op. Vertel.'

Dat laatste woord leek het startsein. In sneltempo vertelde ze over de verliefdheid van haar moeder, over het atelier, over de vreemde humor van Gerard en hoewel ze even haperde, vertelde ze toch ook over wat er die middag gebeurd was.

'Tja,' zei haar vader droog. 'Een prototype plakker.'

'Wat?' lachte Fleur.

'Ja,' grinnikte haar vader. 'Zo'n man wil aandacht. Veel aandacht. Hij begrijpt natuurlijk dondersgoed dat hij van jouw moeder geen aandacht zal krijgen als hij het kind, jou dus, niet accepteert. Daarom zal hij vreselijk zijn best doen om goeie maatjes met jou te worden. En ik weet hoe jij in elkaar zit dus ik zou haast medelijden met hem krijgen,' eindigde hij breeduit lachend.

'Hoezo, ik ben toch niet zo moeilijk?'

'Wel als je iemand niet aardig vindt. Zeg eens, Fleur,' zei haar vader en verstopte haar plotseling kleine handen in zijn enorme handen. 'Ben je niet een klein beetje jaloers?'

'Pap! Op die sukkel?' vroeg ze verontwaardigd en wilde haar handen terugtrekken, wat niet lukte.

'Nee, natuurlijk niet,' lachte hij alweer. 'Ik bedoel op de aandacht die hij van je moeder krijgt.'

'Nee hoor. Echt niet.'

'Maar je vindt het niet leuk wanneer ze zoenen.'

'Dûh! Daar vind ik nooit wat aan, zelfs niet in films en nu moet ik het zeker enig vinden om te zien hoe mijn eigen moeder wordt afgelebberd?'

Haar vader trok zijn handen los en leek zich te verslikken, zijn schouders schokten ervan. 'Fleur toch!'

'Ja nou!'

'Kom op, Fleur,' schaterde haar vader opeens. 'Je geeft die man niet eens de kans! Echt, je gedraagt als een klein kind.'

Als haar vader lachte kon ze niet meer serieus zijn. Dat was nog nooit gelukt en dit moment vormde geen uitzondering. 'Oké dan,' zei ze net zo hard lachend. 'Ik probeer het nog wel een keer met die vent.'

'Afgelebberd,' brulde haar vader. 'Ik zie de hele tijd zo'n grote sint-bernardshond die zijn bak water staat uit te lebberen en...'

Hij greep met beide handen zijn buik vast en klapte dubbel van het lachen.

'Gaat het wel goed, meneer?' Opeens stond er een ober naast hun tafeltje.

'O, ja prima,' gierde pap voordat hij zijn glas leegdronk. 'En nu willen we graag nog wat te lebberen,' snikte hij en veegde de lachtranen van zijn wangen.

'Heeft u er een bakje bij?' gierde Fleur en lachte nog veel harder toen de ober hoofdschuddend wegliep.

'O, wat erg,' grimaste haar vader en haalde diep adem. 'We moeten er nu mee ophouden anders worden we zo van het terras verwijderd.'

'Ja,' zei Fleur en probeerde uit alle macht serieus te zijn. 'En vind dan maar eens een nieuw lebberbakje.'

De ober had blijkbaar begrepen wat haar vader had bedoeld, want hij kwam met een nieuw glas bier en hoewel hij niet kon weten waar ze zo over aan het lachen waren, moest hij duidelijk moeite doen om een uitgestreken gezicht te behouden.

'U mag gerust meelachen, hoor,' zei Fleur al wat rustiger.

'Dank u. Bijzonder vriendelijk van u. Heeft u de kaart al bekeken?'

De volgende ochtend haalde Fleur net de afbakbroodjes uit de oven toen haar vader de keuken binnenkwam.

'Goedemorgen, keukenprinses!' Hij snoof verheerlijkt de geur van vers gebakken broodjes op. 'Wat een luxe om zo te ontwaken. Jij hebt je zakgeld weer verdiend. Kijk eens, schat.'

Hij legde een briefje van twintig euro naast haar bord.

'Hé, dat is teveel pap,' zei Fleur en zette een kan met vers geperst sinaasappelsap op tafel.

'Die vijf euro extra heb je wel verdiend. Kun je niet altijd mijn ontbijtje komen maken?'

'Was het maar waar,' zuchtte Fleur en ging aan de tafel zitten. 'Ik moet eerst die stomme school afmaken. Kun jij me straks helpen met scheikunde? Ik heb maandag een proefwerk.'

Haar vader knikte. 'Ja hoor, dat is prima. Heb je veel huiswerk? Ik heb namelijk zelf ook werk mee naar huis genomen, dat moet ik nog doorkijken voor aanstaande maandag. Als we de ochtend aan ons werk besteden, zullen we dan vanmiddag wat leuks gaan doen en daarna even theedrinken bij opa en oma?'

'Goed idee, pap. Zullen we gaan winkelen?'

'Dat had ik kunnen weten!' steunde haar vader.

Na een middag shoppen waarbij haar vader weer minstens vier keer werd gebeld, Fleur een topje rijker was geworden en opa en oma haar tijdens het theedrinken verzekerd hadden dat ze al weer gegroeid was, lieten ze pizza's bezorgen en zaten ze de rest van de avond voor de tv te genieten van een van de vele dvd's die haar vader speciaal voor haar in zijn kast had staan.

Fleur wilde net naar bed gaan toen haar vaders telefoon ging.

'Hé, Bart,' hoorde ze haar vader zeggen.

'Wát?' zei hij één minuut later en Fleur zag hem schrikken.

'O, nee toch! Dat betekent dat we helemaal opnieuw kunnen beginnen. Wat zeg je?'

Haar vaders gezicht stond op onweer, dat beloofde niet veel goeds. 'Tja, het is niet anders. Ik ben er morgenochtend vroeg en die knul kan maandag meteen vertrekken. Ben jij er morgen ook? Oké dan, ik zie je morgen.'

Haar vader legde de hoorn neer en staarde voor zich uit.

'Wat is er, pap?'

'Dat was mijn compagnon. Eén van de drukkers heeft een grote klus in het honderd laten lopen. Een klus die maandag geleverd moet worden. Het spijt me, lieverd, maar dat betekent dat ik morgen de hele dag op de zaak ben.'

'O,' zei Fleur en staarde haar vader aan. 'Kan ik niet mee? Ik wil best helpen.'

'Nee, meisje. Heel lief van je, maar dit is specialistisch vierkleuren werk. Ik zet jou af bij het station, dan kun je de trein van half negen nemen. De volgende keer dat je komt, maak ik het goed met je, oké?'

'Pap, maak je niet druk. Dit is een noodgeval, toch? Kan gebeuren, hoor.'

'Fleur, beloof me dat je nooit een eigen zaak begint, het is niets dan ellende.'

'Jij en mama zijn een lekker stel. Mama zegt dat ik nooit in de sales moet gaan en jij dat ik geen eigen zaak moet beginnen. Wat moet ik dan gaan doen?'

'Daar kom je vanzelf achter. En nu naar bed, jongedame.'

Hoofdstuk 5

'Wat kom jij hier doen?' zei Gerard duidelijk geïrriteerd. Hij lag op de bank en ze zag nog net hoe hij zijn ochtendjas haastig dichtdeed voordat hij rechtop ging zitten. 'Het is verdorie nog ochtend. Je zou toch pas om een uur of zes thuis zijn?'

'Noodgeval bij mijn vader,' zei Fleur kortaf en keek de kamer rond. 'Waar is mijn moeder?'

'Die staat onder de douche. Je stoort enorm, weet je dat?' zei Gerard en rekte zich uit. 'We hadden ons verheugd op een echt luie dag, zonder gestoord te worden door wie dan ook. Dit is mijn tijd met jouw moeder, daar hebben we allebei enorm naar uitgekeken. Ik ben vandaag niet van plan haar met jou te delen. Heb je niet een vriendin waar je nog even naartoe kan?'

Wát? Stomverbaasd keek ze de man aan. 'Ik weet niet of je het weet, Gerard, maar ik wóón hier!'

'Ja, én? Ik moet rekening houden met jouw tijd met je moeder, dan verwacht ik dat omgekeerd ook van jou. Je hebt niet het alleenrecht op je moeder, ook al denk je dat misschien. Dus...'

Hij had de moed wegwerpgebaren naar de deur te maken! Was die man geestelijk wel in orde? Zou dat het zijn, dat er gewoon een steekje aan hem los zat?

'Als je denkt dat ik voor jou mijn eigen huis uitga, dan ben je niet goed bij je hoofd. Ik woon hier, dus ik blijf hier. Toedeloe!'

Met opgeheven hoofd draaide ze zich om en ging naar boven, waar haar moeder net de badkamer uitkwam. 'Hé, jij bent lekker vroeg.'

'Ja, er was een noodgeval bij papa op de zaak,' zei Fleur nog steeds geïrriteerd.

Mam liep mee haar slaapkamer in en legde een arm om haar schouders. 'En daar ben je boos om?'

'Wat? Ach, nee, natuurlijk niet. Ik ben gewoon nijdig op Gerard. Wat denk je dat hij vroeg? Of ik niet een paar uurtjes weg kon gaan, want jullie wilden er vandaag een lange luie dag van maken. Dit was zijn tijd met jou en daar hadden jullie je zo op verheugd.'

'Wát? Vroeg hij dat?' Mam haalde haar arm weg en het leek wel of ze glimlachte. 'Ach, Fleur, eigenlijk is het heel schattig.'

Wat je schattig noemde! 'Hij vroeg me of ik weg kon gaan, mam. Ik! Jouw dochter die hier toevallig ook woont!'

'Fleurtje, toe. Doe niet zo jaloers. Het is zo'n mooie zondagochtend, verpest het nu niet. Wat Gerard vraagt is toch niet zoveel moeite, of wel? Waarom ga je niet een paar uurtjes naar Sophie?'

'Mám!'

Maar haar moeder liep de badkamer weer in, pakte de föhn en begon zachtjes zingend haar haren droog te blazen.

Verbluft liet Fleur zich op haar bed vallen. Was zij nou gek of hoe zat het? Het was toch…

'Hé, ben je er nu nog?'

Ze keek op en zag Gerard nonchalant tegen de deurpost geleund staan. De ceintuur om zijn ochtendjas zakte af en met een schok zag ze dat hij er niets onder aan had. Ze draaide meteen haar roodgloeiende hoofd om en sprong op. 'Ik ben al weg.' Ze rende met een luid bonzend hart de trap af, rukte wild haar jas van de kapstok en smeet de buitendeur met een enorme knal dicht. Geesoes, de geesoes. Ze had naar zijn ding gekeken! En hij had het vast gezien!

Ze greep haar fiets die wonder boven wonder nog steeds in het halletje van de box stond en reed de straat uit. Ze wist verdorie niet eens waar ze heen moest gaan. Ze kon toch niet voor twaalf uur bij Sophie aankomen? Op zondag?

Sophie bleef meestal tot een uur of twee in bed televisie kijken. Kon ze daar inbreuk op maken? Ze had weinig andere keus. Misschien als ze haar nu eerst eens een sms'je stuurde, wie weet was ze al op.

Ze reed de stoep op en hield de fiets klem tussen haar benen.

Hi, kan ik je bellen?

Ze stopte het telefoontje in haar jaszak en besloot naar het schoolplein van de basisschool te fietsen. Daar stonden bankjes en...

Hé, haar mobiel!

Ongehoord tijdstip! Ja, tuurlijk.

Een half uur later hing ze naast Sophie op het voor haar vriendin zo kenmerkende, rommelige maar heel gezellige bed.

'Ik geloof dat die man echt stapeldol op je moeder is,' zei Sophie en nam een hap van één van de vers gebakken croissantjes die haar moeder altijd op zondag bakte en nog naar boven kwam brengen ook.

'Ja, dat zal best, maar ik vind het raar,' zei Fleur met halfvolle mond. 'En wat vind je van mijn moeders reactie dan?'

'Ach, die is verliefd. Haar kun je niet meetellen.'

'Ja, lekker excuus!' zei Fleur verontwaardigd.

'Nee, echt, Fleur. Jij bent nog nooit verliefd geweest, dus jij kan er eigenlijk niet over meepraten. Ik wel. Ik ben tot mijn spijt al zeker tien keer verliefd geweest en dan reageer je raar, hoor.'

'Nou,' reageerde Fleur schoorvoetend, 'dat zal wel dan. Maar ondertussen ben ik verbannen uit mijn eigen huis door een grote vent die zijn eigen ochtendjas niet eens kan dichtknopen.'

Sophie ging helemaal rechtop zitten, duwde een kussen tussen haar rug en de muur en keek Fleur samenzweerderig aan. 'Dat gebeurde vast per ongeluk. Maar eh... Zag je hem echt helemaal? Was het een grote of viel het formaat een beetje tegen?'

'Sophie!'

'Nou én?' riep haar nieuwsgierige vriendin terwijl ze in ieder geval het fatsoen had om te blozen. 'Vertel op!'

'Ik zag niet eens wat, stomme muts! Ik zag alleen dat zijn ochtendjas openviel en toen heb ik meteen de andere kant opgekeken. Daarna ben ik keihard de trap afgerend. Ik ben me echt rot geschrokken.'

'Oké, sorry,' zei Sophie en kleurde nog wat dieper terwijl ze ijverig wat stukjes croissant van haar dekbed plukte. 'We hebben het er niet meer over.'

'Goed dan,' zei Fleur opgelucht. 'Wat zullen we gaan doen vanmiddag?'

'Om twee uur komen Tobias, Karim en Claudia,' zei Sophie geschrokken en keek naar haar wekker. 'We zouden vanmiddag naar de film gaan, maar eerst met zijn allen scheikunde doen, heb jij het al af?'

'Ja, mijn vader heeft me geholpen.'

'Dat is mooi,' zei Sophie en stapte van het bed af. 'Dan kun jij het ons uitleggen. Was het veel werk?'

'Welnee, een halfuurtje.'

'Gelukkig, ga je daarna mee naar de film?'

'Ja, leuk.'

'Oké dan. Nou, eh, ik ga douchen. Vermaak jij je zelf even een kwartiertje? Zet de tv maar aan, hoor.'

Een half uur later was Sophie klaar en omdat het bijna twee uur was, besloten ze naar beneden te gaan. Juist toen ze daar de tv op hun favoriete muziekzender hadden gezet, ging de bel. Sophie liep naar de deur en even later hoorde Fleur haar geagiteerde stem en ging ze ook de gang in. Tobias trok juist zijn jas uit en stond met zijn rug naar haar toe.

'Het valt heus wel mee, het lijkt erger dan het is,' zei hij tegen Sophie die hem met open mond stond aan te kijken.

'Wat is er dan?' vroeg Fleur.

Tobias draaide zich om en ze schrok zich rot. De linkerkant van zijn gezicht was blauw en leek wel geschaafd. 'Wat is er gebeurd?'

Tobias haalde zijn schouders op en staarde naar zijn voeten. 'Nou, eh, niks bijzonders eigenlijk. Het was een geintje.'

'Wat voor een geintje?' vroeg Fleur en trok hem aan zijn arm zodat hij haar aan zou kijken.

'Nou, eh, gisteren met het werk.'

'Wat met het werk?'

'Eh, tja, nou, eh, we zaten in de kantine van een enorm kantoorgebouw. Gerard had daar een grote schilderklus en was me daarom al om half acht komen halen. We waren met een man of zeven aan het schilderen en in de koffiepauze zaten we dus in die kantine.'

'Ja? En?'

'Nou, eh, toen had Gerard een draadje gespannen tussen een paar stoelen en daar klapte ik overheen, met mijn gezicht boven op een zootje verfblikken die daar stonden opgestapeld.'

'Wát?' vroeg Fleur en voelde haar gezicht rood worden. 'Wat een idioot. Geesoes, man! Je had je nek wel kunnen breken. Zie je nou wat een idioot die vent is, hoe haalt hij het in zijn...'

'Hij vond het zelf ook heel erg,' haastte Tobias zich te zeggen. 'Echt! Hij legde meteen het werk stil en hij wilde acuut met me naar de dokter gaan. Ondertussen bood hij wel tien keer zijn excuses aan.'

'Ja, dat is lekker makkelijk! Alsof je het maar moet vergeten. Nee, echt, ik zei toch dat die vent niet spoorde!'

'Hij kon toch niet van te voren weten dat ik zo'n smak zou maken? Nee, Fleur, echt. Kappen nou. Het was per ongeluk. Gerard heeft me naar huis gebracht en is zelfs met me mee naar binnen gegaan om het mijn ouders uit leggen en ook aan hen zijn excuses te maken. Dat had hij echt niet hoeven doen. Maar hij heeft zelfs aangeboden alle eventuele medische kosten voor zijn rekening te nemen. Nou, zo erg was het nu ook weer niet, we zijn niet eens naar een dokter gegaan, kun je nagaan. Het is heus niet zo erg.'

'O, vind jij van niet?'

'Nee. Zelfs mijn ouders waren niet zo kwaad als jij nu bent. Zij begrepen dat het een ongelukje was.'

'Ja, Gerard kan natuurlijk praten als de beste.'

'Fleur, ik weet heus wel dat jij hem niet mag, maar ik wel.'

'Je bent niet goed bij je hoofd.'

'Dat kan ik ook van jou zeggen. Gerard wilde gewoon een geintje met me uithalen, meer niet. Er is niets mis met die man.'

'Tobias, zie je dan niet wat hier gebeurt? Gerard is hier niet eens, maar hij zorgt wel voor ruzie tussen jou en mij.'

'Weet je, Fleur, dit slaat helemaal nergens op. Je bent gewoon jaloers. Denk je dat de hele wereld om jou draait of zo?'

Hij begreep er helemaal niets van! Dit had geen sikkepit met jaloezie te maken. 'Je ziet niet wat er aan de hand is, Tobias. En het gebeurt onder je neus. Hij pikt je gewoon van me af.'

Tobias schudde zijn hoofd. 'Ongelooflijk. Gerard kent jou beter dan je denkt. Hij zei al dat je dat zou zeggen.'

'Aha! Dus jullie praten over mij?'

'Ja. Nee, eh, ik bedoel eh... hij vroeg gewoon...'

'Zeg, mensen,' zei Sophie opeens en duwde Fleur de gang door. 'Hoe interessant deze discussie ook is, zullen we in ieder geval onze reuzegezellige huiskamer met een bezoek vereren?'

Voordat iemand kon antwoorden ging de bel.

'Ik doe wel open,' zei Tobias en liep naar de deur. 'Want dat zullen Claudia en Karim wel zijn.'

Fleur liep met grote, boze stappen de huiskamer in. 'Dit geloof je toch niet?' fluisterde ze tegen Sophie. 'Op deze manier lijkt het net alsof ík de idioot ben. Zie je waar die vent toe in staat is?'

Sophie schudde haar hoofd. 'Oké, het is wel een beetje raar geintje, ja. Mijn ouders zouden die Gerard een dreun hebben verkocht en ik zou er in ieder geval niet meer mogen werken. Maar, luister eens, Fleur. Laten we er nu alsjeblieft over ophouden en niet de hele tijd over die kerel praten. Het is de bedoeling dat we ook een beetje lol met elkaar hebben, of niet dan?'

'Oké,' zei Fleur aarzelend en een beetje schuldig omdat ze vond dat Sophie daar wel een punt had.

Nadat Claudia en Karim in sneltreinvaart door Tobias waren bijgepraat, begon Fleur zo goed en zo kwaad als ze kon, de scheikunde uit te leggen. Misschien kwam het omdat haar vader het haar zo goed had uitgelegd, of misschien kwam het door de ongemakkelijke sfeer, maar iedereen deed zijn best en was serieus aan het schrijven, tot Tobias opeens met een klap zijn stoel naar achteren schoof en zijn hoofd tussen zijn knieën stopte.

'Wat is er?' vroeg Claudia geschrokken.

'Ik voel me niet zo lekker,' zei Tobias.

'Wat voel je dan?' vroeg Fleur terwijl ze van haar stoel opstond en voor hem op haar hurken ging zitten.

'Het bonst in mijn hoofd en ik werd opeens zo draaierig.'

'Wedden dat je een hersenschudding hebt,' riep Karim en kwam er ook bij staan. 'Dat heeft mijn kleine zusje ook een keer gehad. Misschien moet je zo wel overgeven. Je had toch gewoon naar de dokter moeten gaan.'

'Volgens mij kun je beter naar huis gaan,' zei Sophie die ook was gaan staan.

'Ik breng je naar huis,' zei Claudia resoluut en liep meteen naar de gang om hun jassen te halen. 'Kom, leun maar op mij.'

'Ik ga ook mee, stel je voor dat je valt,' zei Karim en stond direct naast Tobias.

'Ja, hoor eens, ik ben niet invalide,' protesteerde Tobias.

'Nee, maar je bent wel duizelig.'

'Hier is je jas,' zei Claudia nog net zo resoluut. 'Kom op.'

Karim trok hem aan de ene kant omhoog en Claudia aan de andere kant.

'Oké, oké,' gaf Tobias toe en keek Fleur bijna bedremmeld aan. 'Sorry, meiden, vandaag geen film voor mij.'

Sophie en Fleur liepen mee naar de gang om Tobias,

Karim en Claudia uit te laten en keken ze na tot ze de hoek omgingen.

'Nou, dat is pech hebben,' zei Sophie toen ze de huiskamer weer in liepen. 'Gaan wij nog wel naar de film, of heb je geen zin meer?'

'Tuurlijk wel,' zei Fleur.

'De film is om half zes afgelopen. Ik mag van mijn ouders daarna een patatje in de stad eten. Ga je mee of moet je thuis eten?'

'Echt niet! Dan moet ik met die vent aan tafel zitten.'

Om zeven uur fietste Fleur naar huis. Ze voelde zich een beetje schuldig. Onder de film had ze haar mobiel op trilstand gezet en ze had heel goed gevoeld dat ze drie keer was gebeld. Later zag ze dat het haar moeder was.

Had ze toch even moeten bellen? Zeggen dat ze naar de film ging en niet thuis kwam eten? Nee, kom op, zeg. Ze hielden toch ook geen rekening met haar? Het was hun eigen schuld. Hadden ze haar maar niet het huis uit moeten jagen. Ze moest toch zonodig een paar uur de deur uit? Nou, dat had ze gedaan!

Ze knalde haar fiets in de box en liep langzaam naar boven. Het patatje lag opeens zwaar op haar maag.

'Hé Fleur, waar was je toch?' vroeg haar moeder meteen toen ze de huiskamer binnenstapte.

'Weg. Dat moest toch?'

'Ach, kind, zo was het helemaal niet bedoeld.'

'Ja, dat kun je achteraf gemakkelijk zeggen,' zei Fleur en liet zich op de bank vallen. 'Jij vond het toch zo schattig van je vriendje om mij het huis uit te bonjouren? Nou, laat ik je dit zeggen, ik had niet eens meer willen blijven nadat hij op mijn kamer was geweest.'

'Hoe bedoel je?'

'Toen jij je haar stond te föhnen, kwam hij gezellig in de deuropening van mijn kamer staan en vroeg waarom ik nog niet weg was. Voordat ik antwoord kon geven, viel zijn badjas open en daar had hij niks onder aan. Ik schrok me te pletter en ben meteen de trap afgerend.'

Mam had tenminste de beleefdheid om te blozen. 'O, meen je dat? Wat vervelend. Ben je daarom met het eten niet thuisgekomen? Ik had je wel verwacht.'

Fleur zei niets meer en bleef met een strak gezicht voor zich uit staren.

Mam ging naast haar zitten en legde voorzichtig een hand op haar knie. 'Het spijt me, Fleur. Het lijkt voor jou natuurlijk alsof ik geen tijd meer voor je heb, maar dat zal ik meteen veranderen. Dat had ik me toch al bedacht.'

Fleur draaide haar hoofd een beetje in de richting van haar moeder, maar keek haar niet aan. 'Echt?'

'Echt,' zei haar moeder vastberaden. 'Ik heb er zelfs al een begin mee gemaakt. Gerard wilde vanavond nog blijven eten, maar ik heb hem uitgelegd dat ik samen met jou wilde zijn. Ten eerste omdat ik dat leuk vind en ten tweede omdat je vandaag wel een beetje met je ziel onder je arm hebt rondgelopen. Gerard begreep ook dat dit voor jou niet leuk moet zijn geweest. Dus hoe verliefd we ook zijn, vanaf volgende week gaat het anders.'

Ze hief haar hoofd en keek naar haar moeders vastberaden gezicht. 'Hoezo?'

Mams hand graaide in een handtas die onder de salontafel stond. 'Nou, ik heb de hele week in kaart gebracht.' Ze legde haar agenda op tafel en sloeg de juiste bladzijde open. 'Kijk, op maandag ben jij meestal van zeven tot tien uur aan het oppassen bij de buren, dus kan Gerard na het avondeten komen en om een uur of tien weer weggaan. Op dinsdag zie ik hem op het koor. Op woensdag ben ik bij mijn vriendinnen dus dan komt hij niet. Op donderdag zien we elkaar ook niet want dan heeft hij zijn vaste kaartavond. In de weekeinden dat jij thuis bent komt hij niet meteen al op vrijdagavond, maar pas op zaterdagavond en hij gaat dan zondagavond weer weg. Op die manier houden wij toch ons zaterdagse uitje. Lijkt je dat wat?'

Hoofdstuk 6

'Maar dat was toch heel redelijk van je moeder?' vroeg haar vader twee weken later op zondag nadat ze eindelijk zo ver was het hem te vertellen.

'Ja hoor, heel redelijk. Als ze zich eraan houden,' schamperde Fleur.

'Hoe bedoel je?'

'De eerste week ging het inderdaad zoals mama het had gepland. Nou ja, bijna dan. Toen ik op maandagavond van het oppassen terugkwam, was hij er nog. Gelukkig ging hij wel meteen weg. Maar de tweede week, dus deze week, ging het helemaal mis. Het begon ermee dat hij op zondagavond niet naar huis ging. Zogenaamd een glaasje teveel op en toen kon hij niet rijden. En mama op maandagochtend bij het ontbijt maar kwebbelen hoe gezellig ze het vindt wanneer Gerard blijft slapen. Op maandagavond om kwart over zes stond Gerard al weer voor de deur. Hij had een klus gehad die uitliep en om dan eerst nog naar zijn eigen huis te gaan was overdreven. Vond hij. Toen ik terugkwam van oppassen was hij er nog, maar ik dacht dat hij wel weer naar huis zou gaan. De volgende ochtend kwam ik na het douchen de keuken in en wie stond daar? Onze geliefde Gerard. Hij dronk net zijn laatste slok koffie op. Mama was nog niet eens beneden. En wat denk je dat hij tegen me zei?'

'Nou?' vroeg haar vader en pakte zijn rinkelende telefoon op. 'Momentje hoor, Fleur. Ja, Bart?'

Na vijf minuten die wel vijf uur leken, hing hij weer op. 'Sorry, meisje, dat moest even. Waar waren we gebleven? Je zei iets over Gerard?'

Fleur zuchtte. 'Ja. Eerst keek hij me weer zo raar van top

tot teen aan en toen zei hij: "Dag Fleur met je verleidelijke geur, ik moet er vandeur" en toen ging hij de deur uit!'

'Tja,' zei haar vader aarzelend. 'Dat lijkt op een grapje. Wat is nu het probleem?'

'Páp!'

'Nee, serieus, Fleur. Waar heb je nu last van gehad?'

O, hij snapte er niets van! 'Dat hij zo'n opmerking tegen me maakt, maar ook dat mama en ik afspraken hebben gemaakt en dat die na één week blijkbaar al niet meer gelden.'

'Ik neem aan dat je het er met je moeder over hebt gehad?'

'Ja,' zei Fleur en voelde hoe de verontwaardiging groeide. 'Ze zei dat ik me niet moest aanstellen, dat ik weer jaloers was. En vervolgens heeft ze woensdag, haar vaste avond met haar vriendinnen, afgezegd en kwam Gerard weer. En dat moest dan gezellig zijn volgens mama. Echt niet. Hij werd een paar keer gebeld en zijn humeur zakte tot het nulpunt. Op donderdag ging hij gelukkig wel naar zijn kaartavondje, maar daarna is hij gewoon niet meer weggegaan. Hij is er nu nog steeds.'

'Ach, Fleurtje, toch,' zei haar vader aarzelend en keek ondertussen op zijn mobiel die een piepje had gegeven. 'Ik denk eh…'

'Weet je, pap,' zei ze woedend. 'Laat maar. Je bent er met je hoofd niet bij en je snapt er helemaal niets van. Mama zal wel gelijk hebben. Ik zal me wel weer aanstellen en jaloers zijn. Laat maar.'

Met grote boze stappen liep ze de kamer uit. Ja, snotver, waar moest ze nu heen? Dat kleine rotflatje van pa, ze kon alleen naar haar eigen kamer, maar daar zat geen slot op en ze moest echt even serieus huilen. Badkamer dan maar.

Binnen vijf minuten stond pap op de deur te bonken.

'Fleur, kom op, doe eens open.'

'Laat me met rust,' riep ze boos terug en klapte het deksel van het toilet omlaag zodat ze kon zitten.

'Fleur, toe nou!'

'Waarom? Ik stel me toch aan? Laat me nou maar even, ik kom er straks heus wel uit.'

'Oké, dan,' zei haar vader gelaten en terwijl de eerste tranen over haar wangen rolden, hoorde ze hem wegsloffen. Net goed. Dan ging hij maar weer lekker zitten bellen.

Voor de spiegel bij de wastafel zag ze een boos gezicht vol rode vlekken. Ook dat nog. Hoe kwam het toch dat al die vrouwen in series en films altijd zo mooi konden huilen? In gedachten hoorde ze Sophie zeggen dat ze een stomme muts was, in films en series werd natuurlijk niet echt gehuild en werden mensen constant bepoederd en bijgewerkt.

'Fleur, ik heb thee gezet.'

Ze deed de deur open en gleed als vanzelf in de omhelzing van haar vader.

'Gaat het?' vroeg haar vader zacht en aaide onhandig over haar hoofd.

Ze knikte en bleef nog even tegen hem aan staan.

'Zal ik vanmiddag met je meegaan en met je moeder praten?'

'Nee,' zei ze en maakte zich voorzichtig los uit zijn armen. 'Ik moet het zelf oplossen en misschien zie ik wel spoken.'

'Ja, dat zou best weleens kunnen. Maar je belt me wel meteen als er iets is, hoor,' zei haar vader en ging haar voor naar de huiskamer. 'Ook als ik in Oostenrijk ben.'

'Oostenrijk?' vroeg Fleur en ging op de bank zitten.

'Dat heb ik je een tijd geleden toch al verteld? Ik ga met het personeel een weekje skiën. Het komt natuurlijk helemaal niet uit, want we hebben het ontzettend druk. We werken nu zelfs in het weekend, zó druk is het. Maar we hebben het beloofd, dus we gaan. We vertrekken komende zondag en komen die week erop op zondag weer terug. Dus ik zie je pas over drie weken, maar dan heb je wel krokusvakantie, misschien wil je dan wel wat langer blijven.'

'O ja, dat was ik vergeten.' Verdorie, twee weekeinden thuis met Gerard!

'Hé, wacht eens. Ik zie je aanstaande zaterdag nog even,

want mijn reserveski's staan nog bij je moeder. Ik heb vorig jaar wel die nieuwe ski's gekocht, maar je weet maar nooit. Ik neem toch liever ook mijn reserveski's mee. Die kom ik zaterdag even ophalen. Weet jij waar ze staan?'

'Eh, in de box, denk ik.'

'Oké, dan zie je me zaterdagochtend, gaan we eerst samen koffiedrinken in de stad en daarna halen we mijn ski's op. Tenminste, als je moeder het goedvindt. Vraag jij het even?'

'Tuurlijk vindt ze dat goed! Vraag ik meteen of ze wel in de box staan. Hè, wat lekker. Zie ik je toch nog even, pap.'

Pap kroelde door haar haren. 'Maar ik bel je ook regelmatig vanuit Oostenrijk. En als je even wilt praten, bel jij mij, oké?'

Ze stak precies om zes uur 's avonds de sleutel in het slot, maar voordat ze de sleutel om kon draaien ging de deur al open.

'Dag flirtje,' zei Gerard met een allerliefste glimlach. 'Wat een timing. Ik ging net naar de chinees, wil je ook iets?'

Ze staarde hem aan. Ze wist zeker dat hij geen "Fleurtje" had gezegd, maar "flirtje".

'En, kleine meid, weet je het al? Misschien een soepje of een loempia?'

Had ze het zich verbeeld? Nu klonk hij toch echt heel normaal, vriendelijk zelfs. 'Eh, ja, dat is goed. Doe maar een tomatensoep en een loempia.'

'Oké dan, tot zo.' Zacht deed hij de deur achter zich dicht en Fleur stond een beetje verloren in de lege gang.

'Hé, dag lieverd,' zei haar moeder die precies op dat moment de gang in kwam lopen. 'Heb je het leuk gehad?'

'Ja. Best.'

'Gerard is net naar de chinees, zal ik hem even bellen dan kun jij...'

'Nee, hoeft niet. Ik kwam hem tegen, hij neemt soep en een loempia voor me mee.'

'Gezellig,' zei haar moeder met een blije glimlach. 'Eten

we lekker met z'n drietjes. Zet jij je tas even weg, dan dek ik vast de tafel.'

Langzaam liep ze de trap op en vroeg zich af of ze soms dingen hoorde die er niet waren. Ze pakte haar tas uit, gooide de was in de wasmand, haar schoolspullen op het bureau en plofte op haar bed neer. Nee, hij had echt "flirtje" gezegd, ze was toch niet gek? Voordat ze er verder over na kon denken, rinkelde haar mobiel. Ze keek op het display en zag dat het Tobias was.

'Hé, Tobias.'

'Hé, eh, hoi. Ik, eh, ik vroeg me af, eh, of je misschien iets wilde afspreken.'

'Iets afspreken?' vroeg ze verbaasd. 'Ik zie je morgen toch op school?'

'Ja, eh, dat weet ik wel, maar, eh, dan, eh, dan zijn altijd de anderen erbij en ik wilde je eigenlijk even alleen zien.'

'O, is er iets dan?'

'Eh, nee, niks. Ik wil je gewoon even zien.'

'Maar,' aarzelde ze even omdat ze opeens aan iets dacht. Hij zou toch niet denken... 'Eh, luister Tobias. Wij zijn toch vrienden, hè?'

'Eh, ja, tuurlijk, maar...'

'Laten we dat alsjeblieft blijven,' zei ze zo vriendelijk mogelijk. 'Ik, eh, weet je, ik, eh, ik ben niet zo van het vriendjesgedoe. Ik bedoel, eh, nou, wel gewoon vrienden en zo, maar niet dat je echt met elkaar gaat, snap je? Niet dat jij niet aardig bent hoor, je bent hartstikke aardig, maar...'

'Ik begrijp het,' hoorde ze zijn stem opeens kortaf.

'Ben je nou kwaad op me?' vroeg Fleur geschrokken.

'Eh, nee, natuurlijk niet. Ik zie je morgen.'

Voordat ze nog iets kon zeggen, had hij opgehangen en staarde ze beduusd naar het display. Hij vond haar leuk. Blijkbaar. Was hij daarom een paar weken geleden met haar mee naar huis gefietst? Ze dacht toen dat hij in haar een gelijkgestemde ziel had gevonden. Zijn vader was toch ook verliefd? Maar wacht even... Ze probeerde het beeld van toen terug te halen en zag zichzelf weer verbaasd in de schoolkantine staan. Verbaasd omdat hij met haar wilde meefietsen. En opeens zag ze ook weer het rode hoofd van Claudia en hoorde ze zichzelf tegen Claudia zeggen dat zij Tobias mocht hebben.

Ze schudde haar hoofd. Wat een doos was ze toch! Toen had ze het al door moeten hebben. Gatver, wat een rotsituatie.

'Fleur, kom je wat drinken?'

'Ik kom eraan.' Misschien moest ze er morgen nog iets van zeggen. Of juist niet. Gewoon doen. Alsof er niets aan de hand was. Ja, dat was het beste.

'Fleur, waar blijf je? Gerard komt zo met het eten.'

Ook dat nog. Gerard. Die "flirtje" tegen haar had gezegd. Of had ze zich vergist?

Misschien was ze niet eerlijk. Hoorde ze bij alles wat hij zei een valse bijtoon. Gaf ze hem wel echt een kans? Misschien was ze gewoon moe, dan hoorde je soms dingen die helemaal niet zo bedoeld waren. Zo'n treinreis hakte er altijd in, het duurde hartstikke lang en dat naar buiten turen of in een boek bladeren was eigenlijk ontzettend vervelend. Ja, dat was het natuurlijk. Ze maakte er veel meer van dan het was.

'Fleur, wil je cola of een sapje?'

'Cola,' riep ze terwijl ze de trap afliep. 'Hé mam, wat heb je veel bloemen staan!' zei ze verbaasd toen ze de woonkamer inliep.

'Ja, leuk, hè,' lachte haar moeder verlegen. 'Van Gerard gekregen.'

'Hé, hoe komen we aan die draaistoel en aan die tafel?' vroeg Fleur verbaasd en staarde naar de stoel die qua kleur helemaal niet bij hun interieur paste.

'Eh, daar kom ik straks op. Dat heeft met die bloemen te maken. Wat een prachtige bos hè?'

'O, ja. Gaan we in de keuken zitten?' vroeg Fleur en liep er vast naar toe.

'Prima, hoor,' zei haar moeder goedgehumeurd. 'En, wat heb je gedaan bij je vader?' ging ze even vrolijk verder zodra ze aan tafel zaten.

'De gewone dingen,' zei Fleur afhoudend. 'Ik was helemaal vergeten dat hij volgende week zondag op wintersport gaat.'

'Ach, is het dan al? Verdorie, dat was ik ook vergeten. Dan ben jij het weekend over twee weken gewoon thuis, hè?'

'Ja, hoezo?'

'Gerard en ik wilden dan een weekendje weggaan, maar dat kan ook een week later, we hebben nog niets geboekt. Sjonge, ik zou zelf ook wel weer eens met skivakantie gaan, jij niet?'

'Ja, dat lijkt me heerlijk. Weet je nog, mam, toen we de laatste keer in Oostenrijk waren?'

Twintig minuten later zaten ze er nog steeds over te praten, toen Gerard binnenkwam met plastic tasjes waar heerlijke geuren uit opstegen.

'Wat hoor ik?' lachte hij en zette de tasjes op tafel. 'Gaan we skiën? Dan moet één van jullie het me wel leren, hoor, want ik heb nog nooit van mijn leven op de lange latten gestaan.'

'Welnee, joh,' zei haar moeder en pakte borden en bestek. 'We waren even down memory lane. O, wat ruikt dat eten lekker. Ik heb toch zo'n trek!'

Fleur zei niets en vroeg zich af of Gerard de sleutel van haar moeder had geleend om binnen te komen. 'Ik moet je nog wat vragen, mam. Zaterdag komt papa even langs om zijn reserveski's op te halen. Die staan zeker in de box?'

'O, ja, eh, dat geloof ik wel. Gerard, wat wil jij drinken? Een wijntje?'

Gerard schudde zijn hoofd. 'Nee, Roosje m'n Roosje, bij chinees hoort een biertje, neem jij er ook een?'

'Nou,' zei haar moeder aarzelend. 'We hebben net ook al aan de wijn gezeten.'

'Ach, kom op,' zei Gerard grinnikend. 'Die twee wijntjes? Daar zal je heus niet van op je kop gaan staan. Neem ook een biertje.'

'Vooruit dan,' zei haar moeder. 'Zullen we gaan eten? Ik heb enorme honger.'

'Kijk eens, meisje, dit is voor jou,' zei Gerard en zette een bak met Chinese bami voor haar moeder neer. 'Uw wens is mijn bevel, lieve vrouw,' zei hij en boog zich voorover om haar moeder te kussen.

'En kijk eens, voor de kléine lieve vrouw een Chinese tomatensoep.' Gracieus zette hij de beker op haar bord, glimlachte glibberig naar haar en ging zelf ook zitten. 'Wat gezellig om zo samen te eten, hè? Heerlijk met z'n drietjes.'

Fleur bukte omdat zomaar de lepel uit haar hand viel en hoorde haar moeder Gerards woorden beamen. 'Ja, Fleur, dat eh, dat brengt me op het volgende. Ik wil je iets vertellen.'

Gerard legde een hand op haar moeders arm. 'Mag ik?'

Over mams gezicht vloog een zachte uitdrukking en ze knikte.

'Kijk niet zo benauwd, Fleurtje,' zei Gerard en schepte zijn bord vol. 'Het is iets leuks, hoor. Maar voordat ik daar iets over vertel, is het goed wanneer je iets over mij weet. Waarschijnlijk weet je al dat ik de relatie tussen jou en je moeder heel bijzonder vind. Maar misschien vraag jij je af waarom ik dat vind?'

Ze vroeg zich helemaal niks af! Werd er nu van haar verwacht dat ze antwoord zou geven? Nee, blijkbaar niet. Gerard had een hap in zijn mond gestopt, kauwde drie keer, slikte het vermalen voedsel door en gaf zelf het antwoord.

'Ik vind het zo bijzonder omdat ik het zelf nooit heb gehad. Mijn ouders zijn overleden toen ik een jaar of zeven was. Auto-ongeluk. Dramatisch natuurlijk, maar ik was nog erg jong en weet er niet meer zoveel van af. Wel van wat daarna kwam.'

Fleur onderdrukte een zucht. De man wist wel wat cliffhangers waren. Nam hij net op dit moment weer een hap!

Zelf sneed ze vlug haar loempia in kleine stukken en nam ondertussen een hapje soep. Hoe kon die toch zo lang heet blijven?

'Daarna werden mijn broertje, zusje en ik ondergebracht in een kindertehuis. Bartje was een jochie van vijf en Eva nog een baby van één.'

'Ach! Was er geen familie dan?' vroeg Fleur er tussendoor terwijl ze visioenen had van kleine kindertjes die huilend een groot huis met tralies in werden gesleept.

Gerard schudde zijn hoofd. 'Niet dat ik weet, er kwam in ieder geval niemand. Omdat mijn zusje nog zo klein was, werd zij snel geadopteerd. Er was niemand die mij dat vertelde. Van de ene op de andere dag lag ze gewoon niet meer op de babyafdeling. Maar de vrijdag twee weken later zal ik mijn leven lang niet vergeten.'

Gerards stem stokte en hij wreef over zijn ogen voordat hij verder ging. 'Bartje en ik speelden buiten in de stromende regen. Dat vonden we niet erg. We hadden regenjasjes en kaplaarzen aan. We sprongen in alle plassen en hadden de grootste lol. Van het ene op het andere moment kwam er een medewerkster van het tehuis en pakte Bartje bij zijn arm. Hij moest mee. Bartje schreeuwde en spartelde tegen. Ik rende achter ze aan en daar op het bordes voor het kindertehuis stonden een man en een vrouw. Die namen de schreeuwende Bartje van de medewerkster over en stapten in een auto. Ze reden weg met mijn gillende broertje op de achterbank. En soms hoor ik hem in mijn dromen nog steeds mijn naam schreeuwen.'

Tegen haar wil in voelde Fleur haar ogen branden en toen ze naar haar moeder keek zag ze dat mam ook rode ogen had. 'En toen?' vroeg ze zacht aan Gerard.

'Na wat een eeuwigheid leek, kwamen er mensen om naar mij te kijken. Ik was tenslotte toch nog steeds een klein jongetje, maar ik plaste 's nachts in mijn broek. Veel mensen wilden liever een jonger kind, maar ja, die waren altijd als eerste weg. Uiteindelijk bleek er een echtpaar genegen mij te adopteren.'

Fleur slaakte een zucht van opluchting. 'Gelukkig maar,' zei ze en nam nog een hap van haar soep. 'Waren het lieve mensen?'

Gerard nam nog een hap en schudde weer zijn hoofd. 'Ze zullen het heus wel goed bedoeld hebben, maar ze hadden het idee dat een kind een strenge opvoeding geven het beste was. Elke keer wanneer ik in mijn bed geplast had, duwden ze mij met mijn gezicht in het natte laken. Toen dat niet hielp, kreeg ik een pak slaag. Elke ochtend weer. Op het laatst kon ik niet meer zitten en dat begon op school op te vallen. Een onderwijzeres greep in en enkele dagen later was ik terug in het kindertehuis.'

'Nou ja, zeg!' zei Fleur verontwaardigd. 'Die mensen zouden nooit meer een kind mogen krijgen.'

'Ach, weet je Fleurtje, zij waren ervan overtuigd dat dit de manier was om van het bedplassen af te komen. Het was geen slechtigheid.'

'Nou, dat ben ik niet met je eens!' zei Fleur nog steeds verontwaardigd.

'Ik ook niet,' zei haar moeder en wreef over haar ogen. 'En vertel even wat er toen gebeurde.'

'Daarna ben ik nog bij drie of vier andere pleeggezinnen geweest, maar overal viel ik er buiten. Ik was tenslotte niet hun echte kind of ik was niet het kind dat ze hadden verwacht. Kortom, ik hoorde bij geen enkel gezin. Uiteindelijk ben ik in het kindertehuis gebleven tot ik een jaar of zeventien was. In de periode dat ik op de middelbare school zat, kwam ik elke dag langs een oudere man die voor zijn werkplaats kwasten stond schoon te maken. Op een dag sprak hij me aan en kregen we contact. Echt contact. Door deze meneer Van den Vaart ben ik het schildersvak ingegaan. Hij was een vakman met engelengeduld. Nooit werd hij kwaad als ik weer eens een deur verpest had. Hij liet me die deur gewoon opnieuw doen, net zolang tot die deur perfect in de verf zat. Het was een fantastische vent. Toen hij met pensioen ging, heb ik zijn zaak overgenomen en die heb ik nu nog, het is mijn werkplaats en opslagruimte geworden.'

'Jeetje, het lijkt wel een verhaal uit een boek!' zei Fleur en dronk het laatste beetje soep uit haar beker op. 'En zie je mijnheer Van den Vaart nog steeds?'

'Nee,' zei Gerard met een bedroefde uitdrukking op zijn gezicht. 'Een paar jaar geleden is hij overleden.'

'Ook dat nog,' zei Fleur en stopte nog een stukje loempia in haar mond. 'Maar heb je nog wel contact met je broertje en zusje?'

'Nee,' zei Gerard zacht en staarde met betraande ogen naar zijn inmiddels lege bord. 'Ik heb geen idee waar ze gebleven zijn.'

'Mis je ze?'

'Soms. Meestal niet. Ik ben na mijn zevende altijd alleen geweest. Ik heb vaak gefantaseerd over deel uitmaken van een gezin, hoe dat zou zijn. Maar ik heb mijn broertje en zusje nooit meer teruggezien. Toch mis ik ze niet heel erg. Wat je nooit hebt gehad, kun je niet missen.'

'Nee, dat is waar,'zei Fleur en bekeek zijn gezicht aandachtig. 'Maar, eh, wat was het leuke nou?'

Gerard grijnsde door zijn tranen heen en vanuit haar ooghoek zag ze haar moeder glimlachen. 'Zeg het maar, Gerard.'

Het leek wel of hij diep ademhaalde voordat hij verder ging. 'Nou, eh, zoals je weet hebben je moeder en ik elkaar gevonden. Vóór haar heb ik wel eens een vriendinnetje gehad, maar nooit echt serieus. En dat is het nu wel. Voor het eerst in mijn leven heb ik het gevoel dat ik erbij hoor. Dat er iemand echt van me houdt. En dat ik zelf echt van die persoon terug mag houden. Dat gevoel geeft jouw moeder mij. Dat wil ik natuurlijk niet kwijt. Je moeder is alles voor mij en ik schijn alles voor haar te zijn. Ongelooflijk hè?'

'Eh, ja, dat zal wel, ik weet niet... Was dat het leuke?'

Nu lachte Gerard hardop. 'Wat een juffertje ongeduld ben jij! Maar je hebt gelijk, ik wijd veel te veel uit. Nee, het leuke is, dat ik van je moeder vanaf vandaag bij jullie mag blijven wonen.'

'Wát? Nu al? Jullie gaan net met... Waarom? Eh, ik bedoel...'

Nu lachte Gerard nog veel harder. 'Ja, daar ben je stil van, hè?'

Mam keek helemaal glazig. 'Daarom heb ik al die bloemen gekregen, snap je het nu?'

'Eh, ja, maar...'

'O, wacht even,' zei Gerard en stond op. 'Ik heb ook nog iets voor jou, Fleur.' Met grote stappen liep hij naar de gang en kwam even later terug met iets dat eruit zag als een brief.

'Kijk maar wat er inzit,' zei hij en overhandigde haar het envelopje.

Ze scheurde het open en zag er een kaartje inzitten. Op het kaartje stond dat ze de volgende dag iets kon ophalen bij Alfonso. Aan de achterkant van het kaartje stond een routebeschrijving. Niet-begrijpend keek ze Gerard aan.

'Morgen staat het moederbeeldje voor je klaar,' zei hij en keek als een kat die net stiekem uit een beker melk had zitten snoepen.

'Beeldje? O, wacht, het moederbeeldje van het kleine olifantje dat we laatst...'

'Ja, die ja,' zei Gerard en aaide over haar hoofd. 'Bloemen voor mijn meisje en een beeldje voor het meisje van mijn meisje.'

Gatver! Met een ruk schoof ze haar stoel achteruit en begon de tafel af te ruimen.

'Nou, Fleur, zeg je niets?' vroeg haar moeder en keek haar verbaasd aan.

'Ja. Sorry. Bedankt hoor, Gerard. Mam, als je het niet erg vindt, ga ik nu naar boven.'

'Natuurlijk vinden we dat niet erg, meisje,' zei Gerard. Alsof het hem iets aanging! 'Het is je vast even te veel, dat begrijpen wij wel.'

Ging hij nu ook al voor haar moeder praten? En liet mam

zich dat zomaar aanleunen? Hoorde zeker bij dat plotselinge besluit om te gaan samenwonen. Een besluit waarvan mam schijnbaar vond dat ze dat kon nemen zonder het eerst met haar te bespreken.

Snel rende ze de trap op, liet haar kamerdeur op een kiertje staan en vloekte binnensmonds. Hoe was het mogelijk dat ze op het ene moment toch medelijden met Gerard had gehad en dat ze op het volgende moment alleen maar walging voor hem voelde? Nee, niet alleen walging. Hij was glibberig. Ongrijpbaar. Niet te vertrouwen. Nu niet, nooit niet. En mam ging met hem samenwonen. Zomaar. Na vier weken.

Ze opende het vitrinekastje en pakte het kleine houten olifantje eruit. Het voelde glad, warm en goed en als ze naar haar andere beeldjes keek, voelde het net zo goed. Ja, dûh, dat beeldje had er natuurlijk niets mee te maken.

Ze zette het houten olifantje terug in de vitrine en ging op haar bed liggen. Ze stelde zich aan. Die man had een rotleven achter de rug. Hij was blij om bij hen te komen wonen, een gezin te vormen. Ja, ja. Zag ze het verkeerd?

Ze rolde op haar zij en probeerde haar hoofd vrij te maken. Haar mobiel gaf een geluidje en ze zag dat ze een berichtje had.

Sorry dat ik zomaar ophing. Tobias.

Even voelde ze zich schuldig. Waarom kon ze niet verliefd op hem zijn? Het was echt een aardige jongen, een goedzak! Ging hij nog "sorry" zeggen ook!

Het spijt mij ook. Zijn we nog vrienden? Fleur.

Hij was gewoon te aardig. Misschien was dat het.

Tuurlijk. We hebben het er niet meer over. Tobias.

Oké dan. Beter. Ze had geen zin meer om over wat dan ook nog na te denken en klikte haar televisie aan. Gelukkig, er kwam een film.

'Lig je nu nog televisie te kijken?' vroeg haar in nachtpon gestoken moeder opeens vanuit de deuropening.

Fleur ging rechtop zitten en keek haar moeder strak aan. 'Had je er niet eerst met mij over kunnen praten, mam?'

'Wat?' vroeg haar moeder en plukte een stofje van de vloer.

'Doe niet alsof je niet weet waar ik het over heb, mam. Dat Gerard hier komt wonen, natuurlijk.'

'O, dat. Eh, ja, dat had eigenlijk wel gemoeten. Maar het ging allemaal zo snel en...'

'Zeg dat wel ja, jullie gaan net vier weken met elkaar.'

Haar moeder kwam op het randje van het bed zitten. 'Nee, al veel langer, maar toen wist jij het nog niet. Heus, het voelt alsof ik hem al jaren ken, Fleur. Ik ben zó gelukkig met hem. Dat gun je me toch wel?'

'Doe normaal, mam! Daar heeft het helemaal niks mee te maken. Je had het gewoon met mij moeten bespreken. Dat doen wij toch altijd?'

Mam stond op en liep naar de deur. 'Ja, dat had ik waarschijnlijk moeten doen. Maar het is ook mijn leven, Fleur. En het is gelopen zoals het is gelopen. Zullen we er nu over ophouden? Moet jij je tanden niet poetsen? Dat zou ik maar gauw doen, morgen moet je weer vroeg op. Welterusten hoor.'

Verbouwereerd staarde Fleur haar moeder na. Ze liep gewoon de kamer uit! Het interesseerde haar blijkbaar niet hoe haar dochter erover dacht. Of ze begreep het niet. Of ze zag het niet.

Fleur schudde haar hoofd. En nu? Wat kon ze er nu nog aan doen? Ze wist het gewoon niet meer. Ze stond op en liep naar de badkamer. Tien minuten later had ze haar slaapshirt aan en dook haar bed in. Ze wilde juist het licht uitdoen, toen haar kamerdeur weer openging. Gerard stond in een fluorescerende, witte boxershort in de deuropening.

'Dag, mooi flirtje. Slaap lekker.' En zacht trok hij haar slaapkamerdeur dicht.

Hoofdstuk 7

Ze werd wakker omdat de klink van haar slaapkamerdeur naar beneden ging. Iemand probeerde dat zo geluidloos mogelijk te doen. Iemand die niet wist dat je die stomme klink nooit zacht naar beneden kon doen. Hoe zachter je het deed, hoe meer gekraak en gepiep. Papa zou nog steeds een keer die klink gaan repareren, het kwam er alleen nooit van. Niet dat zij en mam er last van hadden. Zij duwden de klink altijd in één keer naar beneden.

Vlug keek ze op de verlichte cijfers van haar digitale wekker. Nul twee punt nul vijf. De deur ging langzaam open en snel sloot ze haar ogen. Ze probeerde zo regelmatig en zo diep mogelijk te ademen. Ze kon het niet zien, ze kon het zelfs niet horen, maar ze vóélde dat er iemand aan haar bed stond. Hoewel ze zich rotschrok en het regelmatig ademen niet al te best meer lukte, bleef ze doodstil liggen toen ze een hand voelde. Een hand die over haar hoofd aaide. Een hand die ruw aanvoelde en heel licht naar terpentine rook. De hand trok zich terug en ze hoorde iemand op haar bureaublad rommelen. Hij had zich dus een slag gedraaid. Nu kon ze heel voorzichtig haar ogen een beetje opendoen. Haar hart sloeg inmiddels een dubbel ritme.

Het nachtlampje op de gang gaf net voldoende licht om twee stevige benen en een witte boxershort te kunnen zien. En handen die zoekend als een verwarde blinde over haar bureau gingen. Die haar bureaustoel een kwartslag draaiden en in haar schooltas begonnen te graaien.

'Mámá!' gilde ze opeens. Het kwam eruit zonder dat ze gemerkt had dat het eruit wilde. Alsof haar stem een eigen leven was gaan leiden.

Meteen lag de ruwe, naar terpentine ruikende hand over haar mond. 'Stil!' fluisterde Gerard hard. 'Stil, er is niets aan de hand, kind. Stil...'

'Wat is hier aan de hand?' vroeg haar moeder die met wilduitstaand haar en grote schrikogen plotseling op de drempel stond. Gelukkig vond mams hand meteen de schakelaar van de grote plafondlamp en baadde haar kleine kamertje opeens in een nietsverhullend, veilig licht.

Gerard ging rechtop staan en keek behoorlijk onschuldig. 'Fleurtje had een nachtmerrie en ik dacht...'

'Niet waar! Dat had ik niet!' Was die snikkende stem echt haar eigen stem? Zo voelde het niet. Het leek of die stem toebehoorde aan een klein kind.

'Ga naar bed, Gerard,' zei mama met een ijsstem.

'Ja, maar...'

'Nú!' zei mama met een zo mogelijk nog koudere stem.

Gerard droop af en eindelijk kwam haar moeder bij haar op bed zitten. Mam stak meteen haar armen uit en vlug kroop ze in de veilige warmte. Als een klein hummeltje nestelde ze zich tegen haar moeder aan.

'Stil maar, liefje, stil maar,' zei mama met haar liefste, meest zachte stem. 'Alles is goed, ik ben bij je.'

Fleur slikte en merkte toen pas dat ze nog steeds huilde. Bijna geluidloos. Met veel tranen. Eindeloos veel angstige tranen. Ze slikte nog eens, haalde haar neus op en wreef over haar ogen.

'Mama, hij was opeens in mijn kamer en hij aaide over mijn hoofd en toen ik om jou riep, legde hij zijn hand over mijn mond. Heel hard.' Terwijl ze het zei, begon haar hart weer aan een inhaalrace, galoppeerde bij haar weg in ijltempo en zonder dat ze er iets aan kon doen, hapte ze naar adem.

Mams armen leken haar bijna fijn te knijpen, maar het voelde net zo veilig als haar stem. 'Stil maar, schatje, het komt goed. Echt, dat beloof ik je. Het zal nooit meer gebeuren. Daar kun je van opaan.'

Het snikken werd minder en haar hart kwam langzaam bij haar terug in een normaler ritme. Na wat een eeuwigheid leek, maakte ze zich los uit de warme omhelzing van haar moeder, wreef in haar ogen en voelde het angstige, vijfjarige kind oplossen in de nevel van veiligheid die haar omhulde.

Mam schudde haar kussen op. 'Ga maar lekker liggen. Probeer te slapen, morgen moet je weer vroeg op.' Haar moeders zachte handen duwden haar terug in het kussen en het was goed zo.

'Mam, laat je mijn deur een beetje open?'

'Natuurlijk, schat.' Haar moeder boog zich voorover en drukte een kus op haar wang. 'En nu slapen, hoor.'

Haar moeder draaide zich om en even later hoorde ze haar moeders slaapkamerdeur open- en dichtgaan. Binnen vijf minuten klonken er harde, ruziënde stemmen. Ze bleef stil liggen, maar hoorde alleen dat er hard gesproken werd. Ze kon er geen woord van verstaan en dat was teveel van het goede. Ze sloop haar bed uit en ging bij haar geopende deur staan.

'Jij hebt gewoon niets te zoeken in de slaapkamer van mijn dochter. Helemaal niets! En dat flik je me niet nog een keer!'

'Wat denk je wel van mij? Denk je nu heus dat ik jouw kind kwaad zou willen doen? Ze lag te dromen. Echt! Ze had een nachtmerrie. Ik verzin het verdorie toch niet? Ze lag te praten en te roepen en toen ik eenmaal aan haar deur stond, was het stil. Omdat ze zo angstig had geklonken bleef ik nog even wachten en besloot ik toch maar even te gaan kijken en…'

'En toen had je mij moeten roepen!'

'Jij lag nog maar net te slapen en ik heb er ook gewoon niet aan gedacht. Het enige dat door me…'

Geesoes, de geesoes, hij ging zachter praten, nu kon ze het niet meer volgen. Die stomme sukkel geloofde gewoon zijn eigen leugens! Een nachtmerrie! Ze had helemaal geen nachtmerrie gehad, ze was gewoon wakker geweest!

Ze hoorde haar moeders stem die in ieder geval harder klonk dan die van Gerard, hoewel ze er nog steeds weinig van kon verstaan. De intonatie gaf echter wel aan dat ze kwaad was. Echt heel kwaad. Hoe lang was het geleden dat ze haar moeder zo woedend had meegemaakt? Het was…

'Voor de laatste keer, Roos: ze had een nachtmerrie. Echt! Ik heb geprobeerd die rotdeur zo zacht mogelijk open te doen, ik heb haar over het hoofd geaaid en op haar bureau naar een lichtknopje van een lampje gezocht. Ik kon toch ook niet weten dat ze geen bureaulamp heeft? Voordat ik het wist, begon ze te schreeuwen en uit reactie legde ik mijn hand over haar mond. Wat zou jij doen als iemand opeens keihard begint te schreeuwen? Ik schrok me helemaal te pletter! Maar dat was verdorie alles! Als jij daar per se iets lelijks van wil maken, dan doe je dat maar. Maar dat doe je dan maar lekker alleen. Ik slaap wel op de bank!'

Een deur ging open en ze hoorde bonkende voetstappen de trap afgaan. Vlug schoot ze terug haar bed in en even later hoorde ze haar moeders voetstappen haar richting opkomen. Ze hield zich slapend toen mam haar kamerdeur een beetje verder opendeed, even wachtte en vervolgens de deur weer dichttrok tot een kiertje. Daarna hoorde ze haar moeders voetstappen de trap afgaan.

Fleur wachtte tot ze beneden de huiskamerdeur hoorde opengaan, sloop toen haar bed weer uit en ging op de bovenste traptrede zitten. Het was alsof ze in een spionage-film meespeelde, maar ze moest wel. Ze móést weten wat Gerard over haar te zeggen had. Niet dat ze veel opving, er werd opeens veel zachter gepraat en ze hoorde haar moeders stem veranderen. Geen boosheid meer. Troostend. Zou Gerard aan het janken zijn? Zouden er meer kerels zijn die zo gemakkelijk hun tranen lieten lopen? Pap huilde nooit. Tenminste, zij had het nooit gezien. Gerard had er in ieder geval geen moeite mee. Waarover was die engerd nu weer aan het snotteren? Ze sloop nog een paar treden naar beneden en ving nog net een deel van Gerards betoog op.

'... dat kon ik niet over mijn hart verkrijgen, Roos. Echt niet. En dat moet je me ook nooit vragen. Ik zou niet anders kunnen reageren dan ik nu heb gedaan. Noem het instinct, noem het wat anders, maar ik... Als je zelf als kind nooit getroost bent na een verschrikkelijke nachtmerrie, dan wil je niet dat dat ooit een ander kind overkomt. En al helemaal niet als dat andere kind het kind is van de vrouw van wie je houdt. Dus dan ga je zonder na te denken je bed uit en...'

'Sorry.'

'Ik snap wel dat het voor jou als moeder misschien een beetje vreemd over is gekomen, maar écht, geloof me, ik...'

'Ik geloof je. Echt, ik geloof je. Sorry dat ik aan je twijfelde. Ik had beter moeten weten. Kom hier.'

Gatverdamme! Ja, hoor het was hem weer gelukt. Huilende mannen, daar kon mam natuurlijk niet tegen.

Op haar tenen trippelde ze zacht als een hinde terug naar haar kamer, liet de slaapkamerdeur op een kiertje staan en kroop haar bed in.

Hij had nooit iemand gehad die hem troostte wanneer hij boze dromen had, die arme ziel. En dus kon hij haar niet alleen laten toen ze schreeuwde of huilde of wat het dan ook was dat hem liet denken dat ze een nachtmerrie had. Hé, nee! Wacht eens even! Ze ging verdorie mee in zijn gedachten. Ze had helemaal geen nachtmerrie gehad! Ze had gewoon liggen slapen.

Of... Kon het... Zou het... Nee, Fleur, onzin. Je kon niet plotseling ontwaken door een herriemakende deur en dan niet meer weten dat je een nachtmerrie had. Nee, ze had gewoon liggen slapen. Maar wat had Gerard dan op haar kamer te zoeken? Wat kwam hij doen? Wat zocht hij op haar bureau? Had hij echt een lampje gezocht? Kon dat? Ja, in principe kon dat natuurlijk. Zoals hij het aan haar moeder had uitgelegd, klonk het allemaal heel logisch. En was zelfs zijn idiote gedrag heel goed verklaarbaar. Maar hij had toch, omdat er altijd een nachtlampje op de gang brandde, kunnen zien dat er geen lampje op haar bureau stond? Tenzij hij nachtblind was of iets dergelijks, maar dat zou ze niet zeggen, kon hij dat weer als smoes gebruiken. Want hij gebruikte allerlei smoesen. Daar was hij een absolute ster in. Er klopte gewoon iets niet aan zijn verhaal. Ze wist het zeker. Maar wat? Wat had ze gemist in het verhaal? Ze zag iets over het hoofd. Iets dat belangrijk was.

Ze draaide zich op haar zij. Ze moest ermee ophouden. Ze moest gaan slapen en niet meer aan die idioot denken. Met een beetje geluk kon ze nog vier uurtjes slaap pakken voordat de wekker afging.

Die wekker ging veel eerder af dan ze zou willen. Was het echt al zeven uur? Eén blik op dat stomme ding zei haar genoeg. Tien minuutjes nog.

'Fleur! Kom eruit, meisje. Het is al half acht, je moet je haasten.'

Haar moeders stem kwam vanuit een wollig wolkendek. 'Hè? Half acht? Het is toch pas zeven uur?'

Haar moeder kwam even bij haar op het bed zitten en aaide babyzacht over haar hoofd. 'Nee, schat. Het is half acht. Geweest. Hoe is het met je? Je zult nog wel moe zijn na zo'n gebroken nacht.'

Ze rekte zich uit en keek naar het bleke gezicht van haar moeder. Mam was blijkbaar ook heel wat slaap tekort gekomen deze nacht. Zij had immers nog wie weet hoe lang met Gerard zitten praten. 'Valt wel mee, hoor. En jij?'

'Valt ook wel mee zolang ik er maar niet te lang bij stilsta.' Mam stond op van haar bed en aaide nog een keer over haar wang. 'Ik ben al helemaal klaar en zal vast je lunch klaarmaken. Als jij met tien minuten klaar kunt zijn, kan ik je ook nog eens naar school brengen.'

'O, mam, dat red ik nooit. Hartstikke lief van je, maar ik moet nog douchen, m'n haar föhnen en... Nee, ga jij maar, ik ga wel met de fiets.'

'Weet je het zeker?'
'Ja, mam. Echt. Ga nou maar.'

Twintig minuten later kwam ze bloot en drijfnat de badkamer uitlopen, zichzelf verwensend dat ze haar handdoek
weer eens vergeten had en botste tegen iemand aan. Ze
schrok zo verschrikkelijk dat ze gilde. Keihard.

Zijn handen pakten haar polsen stevig vast. 'Allemachtig,
stom jankkind, stel je toch niet zo aan, ik schrik me te pletter. Je zou een mens een hartverzakking kunnen bezorgen
met dat geblèr van jou!'

Gerard.

'Wat doe jij hier?' vroeg ze woedend en rukte zich los om
haar armen over haar borsten te kunnen leggen. Ze probeerde vlug langs hem heen te stappen om in haar kamer
die stomme handdoek te pakken te krijgen, maar hij deed
gelijktijdig een stap opzij en stond weer voor haar.

'Rot op, man! Ga ergens anders gluren!' riep ze verontwaardigd.

'Wat doe je toch weer moeilijk, kleine gifkikker!' zei hij
met de inmiddels bekende glibberige glimlach. 'Net als gisteravond. Wat kun jij gillen om niets. Ik kan je nu al vertellen dat als ik je ooit weer hoor dromen dat ik dan weer kom
kijken. Dat is instinct, hè, ridder op het witte paard en zo.
En jij hebt het volgens mij altijd heel erg druk in je slaap.
Dus niet meer schrikken als je mij 's nachts in je kamer aan-
treft.'

Hij bleef haar ondertussen van top tot teen bekijken en
liep tergend langzaam half opzij, half achteruit, haar slaapkamer in. Zijn hand strekte zich uit en griste de handdoek
van haar bed. Hij hield haar de handdoek voor, net buiten
haar bereik.

'Je weet het, hè? Ja, kijk maar niet zo onschuldig. Jij weet
gewoon dat je een genot bent om naar te kijken. Nee, je
hoeft je hoofd niet te schudden en je hoeft ook niet zo ge-
schokt te kijken, daar trap ik niet in. Jij weet heel goed hoe

jij eruit ziet, daar speel je immers mee. Je speelt met mij en ondertussen maar de beledigde onschuld uithangen en boos zijn als ik naar je kijk. Je lichaam lijkt sprekend op dat van je moeder, weet je dat? Hoe is het mogelijk hè? Echt, Fleur, sprekend je moeder. Nou ja, de wat jongere uitgave natuurlijk. Hier en daar moet je nog wat groeien, maar...'

'Vuile viezerik,' riep ze en griste wild de handdoek uit zijn handen. 'Rot op uit mijn kamer. Hoe durf je hier te blijven staan! Als mama dit zou weten! Nou jongen, wacht maar, ik zeg het vanavond allemaal tegen haar.'

In één vloeiende beweging kwam hij nog dichter voor haar staan en pakte met zijn stinkende vingers haar gezicht vast. 'Dat zou ik niet doen, mijn lieve kind. Dat zou ik echt niet doen. Uit ervaring kan ik je melden dat je daar reuze spijt van zou krijgen. Je kent mij namelijk nog niet op dat gebied. En laat ik het zo zeggen: je zou mij zo ook niet willen kennen.

Zijn stem klonk bedrieglijk aardig, maar zijn staalgrijze ogen doorboorden haar. Volkomen emotieloos. Leeg. Zijn vingers knepen zo ruw in haar kaak dat het haar niet zou verbazen wanneer ze een krak zou horen.

'Luister goed, klein verleidelijk wezentje. Ik ben hier voor je moeder. Uitsluitend voor je moeder. Ze is een mooie vrouw met wie ik het ongetwijfeld een tijdje zal volhouden. Misschien is dat tijdje zelfs wel een hele tijd. En hoewel jij nog een beetje groen bent, weet ik al hoe jij er in de toekomst uit zult zien. En de eerlijkheid gebiedt mij je te zeggen dat ik daar naar uitzie. Want... Tja, met jou zou ik het ook wel een tijdje volhouden. Nee, blijven staan, jij!' verhief hij zijn stem toen Fleur zich los wilde rukken.

'Doe nou niet alsof ik iets heel belachelijks heb gezegd. Ik zie toch hoe je naar me kijkt? Nee,' zei hij terwijl hij snel en toch bijna vriendelijk zijn hand over haar mond legde en haar naar de spiegel draaide, 'dat hoef je echt niet te ontkennen, ik heb ogen in mijn hoofd. Je bent gek op me! En trouwens, als je niet voor me bent, dan ben je tegen me. En dat ben je niet, hè kleine, lekkere, flirt van me? Belangrijk is dat jij je vanaf nu gedeisd houdt. Geen woord tegen je moeder, ik wil dat zij onbekommerd door het leven gaat. Dus denk maar niet dat ik het door zo'n kleine rotgriet als jij zal laten verpesten. Jij houdt je kop en je doet aardig tegen me, ook wanneer je moeder er niet bij is, heb je dat goed begrepen? Want anders zul je ontdekken dat het vreselijk onverantwoord is mij als tegenstander te hebben, snap je?'

Woedend en met een bonkend hart keek ze hem via de spiegel aan, maar ze kon niets zeggen.

'Ja, Gerard,' zei hij met een smalend lachje en haalde zijn hand van haar mond om haar hoofd naar voren en naar achteren te duwen. 'Wees een gehoorzaam meisje en zeg mij maar na. Ja, Gerard. Ik zal een braaf meisje zijn en tegen mijn mama zeg ik alleen maar aardige dingen over jou.'

Zijn ene hand leek aarzelend over haar hoofd te gaan, tot hij haar haren te pakken had en er zo hard aan trok dat haar hoofd naar achteren schoot en de tranen over haar wangen rolden.

'Nou, wat zeg je dan? Ja, lieve Gerard, ik zal doen wat je zegt. Zég me na!' brulde hij opeens.

'Ja Gerard,' snikte ze machteloos.

'Wat, "ja Gerard"?' brulde hij. 'Ja, lieve Gerard, ik zal doen wat je zegt!'

De tranen wilden niet stoppen, haar hoofdhuid stond in brand en ze hoorde dat haar stem, opeens willoos geworden, deed wat hij vroeg.

Eindelijk liet hij haar haren los, draaide haar om en glimlachte allerliefst. 'Zo, ik ben blij dat dit uit de wereld is, jij ook? Wat een goed gesprek al niet kan oplossen. Moeten we echt vaker doen. Zo lekker met z'n tweetjes. Nu kunnen we aan een eerlijke relatie gaan werken. Want nu weten we wat we aan elkaar hebben en zien we allebei geen beren meer op de weg. Opgelucht?'

Hij verwachtte toch niet echt dat ze antwoord zou geven?

'Mijn lieve kindje!' fleemde zijn stem. 'Je bent toch niet

bang voor me geworden? Dat is echt het laatste wat ik wil, hoor. Ach, mijn lieve, kleine schatje toch. Ik wil alleen maar dat we hier met z'n drietjes gezellig kunnen wonen. Een eigen gezinnetje kunnen hebben zonder pottenkijkers en zonder problemen. Daar is toch niets mis mee? Zeg,' zei hij terwijl hij rustig, bijna nonchalant naar de deur liep, 'wil je soms meerijden? Ik kan wel even op je wachten, ik was alleen maar terug naar huis gekomen omdat ik mijn telefoon weer eens had vergeten. Ik moet er toch eens een vaste plek voor bedenken. Waar bewaar jij je mobiel? Enfin, dat kun je me ook in de auto vertellen. Rij je mee?'

Verbijsterd staarde ze hem aan en schudde stil haar hoofd.

'Oké, dan niet. Nou, braaf en gehoorzaam meisje van me, tot vanavond hoor!' Hij liep de gang op en vals fluitend de trap af. Een minuut later viel de buitendeur in het slot.

Hoofdstuk 8

Pas toen ze hoorde dat de buitendeur dichtviel, liet ze zich trillend op haar bed zakken. Ze probeerde de tranen van haar wangen te vegen, maar dat leek onbegonnen werk. Wat moest ze in hemelsnaam doen? Wat kón ze doen? Mama bellen? Het liefst zou ze dat meteen doen, maar Gerard dan? Nog steeds zag ze zijn keiharde ogen die haar zelfs van binnen leken te bekijken. Maar moest haar moeder dan niet weten wat voor een achterlijke vent het was? Ja, natuurlijk moest ze dat. Maar Gerard zou er ongetwijfeld weer een prachtig verhaaltje van maken en ze wist eigenlijk nu al zeker dat mam daar weer in zou trappen.

Een snik ontsnapte en met twee vuisten tegelijk boende

ze wild over haar gezicht. Ze zou het niet van hem winnen. Ze zou het nooit van hem kunnen winnen. Hij zou haar altijd terugpakken. Hij zou haar elk moment dat mam er niet was laten merken dat... O, gatver, alleen bij de gedachte daaraan begon ze al te trillen. Sinds wanneer was zij zo'n angsthaas? Sinds wanneer...

De telefoon ging. Vertraagd stak ze haar hand uit naar haar mobiel en zag op het display dat het de buurvrouw was.

'Hé Debbie,' zei ze toonloon.

'O, gelukkig zit je niet in de les. Ik wil je om een gunst vragen. Kun je vanavond wat eerder komen, ik bedoel, zo tegen etenstijd? Ik heb namelijk een afscheidsetentje voordat ik ga trainen en ik was het helemaal vergeten en...'

Fleur staarde als een zombie voor zich uit en begreep het allemaal even niet meer. Vanavond?

'Fleur? Hallo, ben je er nog?'

'Eh, ja. Sorry hoor, ik ben net wakker,' zei ze snel.

'Geeft niks, meid. Maar het is maandag vandaag. Je weet toch nog wel dat je vanavond zou oppassen?'

'Ja, ja, natuurlijk. Ik was het niet vergeten. Eh, zal ik dan om een uur of vijf bij je zijn, of is dat te vroeg?'

'Nee hoor, meid, dat is zelfs een uitstekende tijd. O, je bent echt een schat. Ik zorg dat alles in huis is om spaghetti te maken, dat vindt Elke lekker en jij ook hè? Nou, tot vanavond dan.'

Fleur drukte haar telefoon uit en ging languit op haar bed liggen. Het stormde in haar hoofd. Hard. Een windhoos in de herfst was er niets bij. Was Gerard echt hier geweest en had hij echt al die vreselijke dingen gezegd? Had hij haar echt in haar nakie gezien en haar echt van top tot teen bekeken?

Ze schudde haar hoofd. Ze voelde nog steeds de brandende blik op haar lijf. Het was natuurlijk stom dat ze voor de duizendste keer haar handdoek vergeten was. Als ze de handdoek gewoon in de badkamer had opgehangen zoals alle andere mensen doen, dan had hij haar in ieder geval niet naakt gezien. Naakt, helemaal naakt.

Het kippenvel stond op haar armen en haar ogen brandden alweer. Haar maag rommelde, haar buik rommelde en haar handen trilden. Wat moest ze doen, wat moest ze in hemelsnaam doen?

Haar mobiel rinkelde weer. Ze keek nog maar eens op het display en zag dat het haar vriendin was.

'Hé, Sophie,' zei ze zacht nadat ze had opgenomen.

'Hé, waar ben jij?'

'Nog thuis.'

'Jij hebt je zeker verslapen?' vroeg Sophie voordat ze in sneltreinvaart verderging. 'Nou, wees daar maar blij om. Ik sta hier braaf én op tijd op het schoolplein, ik ga niets vermoedend naar binnen en wat denk je? De eerste twee uur vallen uit. De Wit heeft vertraging met de trein en daarna is het kleine pauze. Daar sta ik dan met mijn goede gedrag. Tobias was vanochtend hartstikke chagrijnig en is naar huis gegaan, maar ik zit met Claudia en Karim in het koffiehuis.'

Dat gedoe met Tobias was ze helemaal vergeten. Nou ja, dat kon er ook nog wel bij. Nee, dat kon er niet bij! Ze had genoeg aan haar hoofd. 'Eh, ja. Nou, ik weet niet...'

'Wat is er met je? Heb je net je ogen open of zo?'

'Nee. Ik vertel het later wel.'

'Wat? Zeg nou!'

'Problemen met Gerard, maar het is teveel om uit te leggen aan de telefoon. Ik vertel het je later wel, ik heb er nu geen zin in.'

'O. Tja. Weet je wat, ik kom wel naar jou toe. Goed?'

'Eh, oké dan.'

Twintig minuten later opende ze de voordeur en liet Sophie binnen.

'Zo,' zei Sophie en ging recht voor haar staan om haar eens goed en doordringend aan te kunnen kijken. 'En vertel me nu maar eens wat er aan de hand is.'

Even was er nog de aarzeling, maar daarna barstte ze los

en vertelde het hele verhaal vanaf gisteravond tot deze ochtend.

'O, Fleur, wat erg! En wat erg dat ik je niet geloofde. Je hebt vanaf het begin al je twijfels gehad en je hebt helemaal gelijk. Die vent is niet goed snik, hij hoort in een psychiatrische inrichting te zitten,' riep Sophie uit en Fleur voelde zich al bijna opgelucht door de plaatsvervangende verontwaardiging van haar vriendin.

'Echt,' ging Sophie in een ruk verder, 'dit is niet normaal, hoor. Wie weet wat hij de volgende keer gaat bedenken. Je moet het je moeder vertellen. Gatver, wat een engerd.'

'O, ik ben toch zo blij met jou!' Van opluchting voelde ze die rottranen alweer branden. Wat was ze opeens een huilebalk. 'Je weet niet hoe beroerd ik me heb gevoeld. Ik heb van alles lopen bedenken en op het laatst ging ik gewoon twijfelen aan mezelf.'

'Twijfelen?'

'Ja, of het misschien aan mij lag of weet ik veel.'

'Omdat je je handdoek vergeten had? Doe gewoon! Nee, wacht.' Sophies gezicht stond nadenkend voordat ze verderging. 'Let op, ik ga advocaat van de duivel spelen. Ja,' zei ze er snel achteraan, 'dat is een uitdrukking die mijn moeder altijd gebruikt als ze me vervelende vragen gaat stellen. Dat zijn dan altijd vragen die de tegenpartij zou kunnen stellen. Nou, let op. Ik zal eens even een rotvraag bedenken. Weet je zeker dat je het je niet hebt verbeeld, ik bedoel, keek hij echt wel naar je lichaam, of dacht jij alleen maar dat hij naar je keek?'

Stomverbaasd keek Fleur haar vriendin aan. 'Ben je gek geworden? Natuurlijk dacht ik dat niet. Ik zág het toch?'

'Oké, oké, maar luister, Fleur. Je moet niet boos op me worden. Bewaar dat maar voor vanavond. Ik zei toch dat ik advocaat van de duivel speelde. Dit zijn vragen die je moeder jou zou kunnen stellen. En dat zijn nu eenmaal geen leuke vragen. Ik heb er nog wel eentje voor je. Weet je zeker dat hij niet gewoon bedoelde dat je een leuke meid bent die er goed uitziet en die ook nog eens op haar beeldschone moeder lijkt, zoals zoveel dochters op hun moeder lijken?'

'Hou op!' riep Fleur en voelde dat ze haar tranen niet meer kon tegen houden. 'Dat zou mijn moeder nooit vragen.'

Sophie sloeg haar armen om Fleur heen. 'Nee, misschien niet. Maar je moet er wel op voorbereid zijn, vooral als Gerard je moeder eerder spreekt dan jij.'

'Omdat ik vanavond vanaf vijf uur al moet oppassen zal hij haar inderdaad wel eerder zien dan ik.'

'Daar steken we dan ter plekke een stokje voor. Weet je wat je doet? Je belt haar op en vraagt of jullie samen kunnen lunchen!'

Sophie zag eruit alsof ze zojuist een geweldige ontdekking had gedaan en Fleur merkte dat ze gelukkig nog kon lachen. 'Nee, dat gaat niet. Ze zit langs de weg en is bijna nooit in de buurt.'

'Probeer het! Nu! Bel haar op. Je weet toch niet zeker of ze niet ergens in de buurt is?'

Tegen beter weten in pakte Fleur haar telefoon en belde haar moeder.

'Hé mam, met mij. Ben je toevallig in de buurt tussen de middag?'

'Nee schat, ik zit in Den Haag. Hoezo?'

'O. Nou ja, jammer. Ik dacht dat we misschien samen konden lunchen.'

'Laten we vanavond even de agenda's trekken, dan gaan we binnenkort een keer samen lunchen, goed?'

'Oké, mam. O, vanavond eet ik niet thuis. Ik moet al om vijf uur bij de buren zijn. Dág.'

'Snotver,' zei Sophie en trok een bedenkelijk gezicht. 'Dan blijft er niets anders over dan je vader te bellen.'

'Nee, dat heeft geen zin. Elke keer dat ik met hem zit te praten gebeurt er wel wat. Weet je hoe vaak zijn mobiel gaat? In elk gesprek minstens vier keer. En wanneer ik hem zelf aan de telefoon heb komt er altijd wel een medewerker aan zijn hoofd zeuren en dan hoort hij weer de helft niet. Nee, ik bel hem niet. En trouwens, hij gaat aanstaande zondag op wintersport.'

'Nou én? Als jij vertelt wat er aan de hand is, dan komt hij meteen.'

'Misschien wel ja, terwijl hij het nu hartstikke druk heeft omdat ze zondag gaan. Zijn hoofd staat op dit moment alleen maar naar werk, werk en nog eens werk. Nee hoor, ik bel hem niet. Ten eerste krijgen we dan de grootste ruzie hier in huis en ten tweede wil ik dat hij gewoon lekker weg kan.'

'Luister, Fleur. Dat is hartstikke nobel en lieflijk en zo, maar je schiet er geen donder mee op.'

'Sophie!'

'Hè, ja, laat me nou. Wat kan jou dat nou schelen? Je moeder is er toch niet? Kom op, zeg, je bent toch geen kleuter meer.'

'Nee, maar ik heb haar beloofd...'

'Laten we er over ophouden, Fleur. We hebben wel iets anders aan ons hoofd. Het gaat nu om Gerard. Wat gaan we doen?'

'We?' vroeg Fleur glimlachend. 'Voorlopig kan ik even helemaal niets doen. Gelukkig moet ik vanavond oppassen en ben ik lekker niet thuis, maar dat is geen langetermijnoplossing.'

'Wat zeg je dat weer geweldig! Daar was ik nou zelf nooit opgekomen. Langetermijnoplossing. Eh, laat me even denken, misschien komt er nog wat bruikbaars uit die hersenpan van mij. Eh... nou, je moet in ieder geval je moeder vertellen wat er is gebeurd. Vandaag gaat dat niet meer lukken omdat die engnek eerder thuis is dan jij, maar morgenochtend?'

Fleur knikte opgelucht. 'Met een beetje geluk is hij eerder de deur uit dan mijn moeder.'

'Oké dan. O, nee hè?' vloog Sophie opeens overeind. 'We moeten echt rennen anders halen we het derde uur niet.'

'Onderweg moet ik je nog iets vertellen,' zei Fleur terwijl ze samen de trap afrenden. 'Over Tobias.'

Het dubbele uur wiskunde, de grote pauze en het uur Nederlands was ze nog wel redelijk goed doorgekomen. Nu bij geschiedenis, het laatste uur van de dag, leek haar hoofd echter uit elkaar te barsten. Er lag een knikker heel vervelend te doen in haar linkerhersenhelft.

Ze zag de grote klok de minuten wegslikken. Het was bijna halfdrie, dan moest ze naar huis. Naar huis. Waar Gerard misschien al was. Wie weet wat hij nu weer zou zeggen of erger nog, zou doen.

Ze liet haar hoofd in haar handen zakken. Het leek wel of er een flipperkast in het binnenste van haar hoofd was begonnen. De irritant grote knikker rolde dreunend van links naar rechts, van voor naar achter.

'Fleur, waar zit je met je gedachten?'

Ze keek op en keek in het vriendelijke gezicht van meneer Oldenhoven.

'Ben je niet lekker?' vroeg hij bezorgd en legde voorzichtig een hand op haar schouder.

'Ik heb zo'n hoofdpijn,' zei ze zacht.

'Ja, dat zie ik aan je, meid. Kun je niet beter naar huis gaan?'

Ze schudde haar hoofd en de knikker knalde tegen haar slapen. 'Nee, ik hou het nog wel vol hoor.'

'Dat lijkt me niet zo'n goed idee, meisje. Je kunt beter een paracetamolletje nemen en naar bed gaan. Sophie?' vroeg meneer Oldenhoven en keek haar vriendin aan die zoals altijd trouw naast haar zat. 'Kun jij Fleur even naar huis brengen?'

'Tuurlijk,' zei Sophie en schoof met één grote armbeweging haar geschiedenisboek en haar multomap van de tafel in haar rugzak.

'Hé, gaat het wel?' vroeg Claudia die voor haar zat en zich had omgedraaid.

Snotver! Dertig paar ogen keken haar aan!

'Ja, joh. Gewoon een beetje hoofdpijn.'

'Nou, dat moet een beste hoofdpijn zijn,' vulde Tobias aan die naast Claudia zat. 'Je ziet zo wit als een lijk, man.' Hij keek haar bezorgd aan. Gewoon bezorgd. Gewoon als vrienden. Gelukkig.

'Ja, dames en heren,' klonk de kalme stem van meneer Oldenhoven. 'Laten we nu allemaal weer gaan zitten en ons concentreren op de les, dan kunnen de twee dames rustig weggaan.'

Ze sjokte achter Sophie de klas uit en in de gang voelde ze Sophies hand die de hare zocht. 'Wat is er nou, Fleur? Hoe kom je aan die hoofdpijn? Kwam het door Tobias?'

'Nee,' glimlachte ze mat. 'Hij doet heel normaal tegen me. We zijn nog gewoon vrienden. Even was ik bang dat hij me de hele tijd...'

Sophie grinnikte. 'Welnee, zo zijn jongens niet, dat doen alleen meiden. Jongens kunnen je het ene moment verrot schelden en het volgende moment ben je weer de beste vrienden. Maar luister eens,' ging ze serieus verder. 'Als het Tobias niet is, dan heb je vast zitten piekeren over Gerard, hè?'

Ze knikte en wenste meteen dat ze dat niet gedaan had. De knikker was met een enorme klap tegen haar voorhoofd aan gebonkt. 'Hij is vast al thuis. En ik moet pas om vijf uur bij de buren zijn. Ik weet gewoon niet wat ik moet doen. Wie weet wat hij nu weer gaat zeggen.'

'Ach meid, had het tegen me gezegd. Ik ga gewoon met je mee naar huis en blijf bij je tot je naar de buren moet. Wat vind je daar van?'

'Echt?'

'Tuurlijk! Dan kun jij me mooi meteen helpen met wiskunde. Ik snap er zoals gewoonlijk weer geen hout van. Wie dat vak toch heeft uitgevonden! Maar gelukkig heb ik andere kwaliteiten.'

De knikker in haar hoofd rolde nog even zachtjes heen

en weer, bijna aarzelend, voordat hij volledig bleef stilliggen. 'Dank je wel,' zei ze zacht.

'Ach, doe normaal! Dat zou jij ook voor mij doen. Kom op, laten we de fietsen gaan halen, dan race ik je naar huis.' Zodra ze de straat infietsten, zag ze het al. 'Hij is thuis,' zei ze en voelde de knikker rollen in haar hoofd.

'Mooi,' zei Sophie en kwakte haar fiets tegen de boxdeur. 'Kan ik dat mannetje eens aan een grondig onderzoek onderwerpen. Hup, Fleur, zet je fiets op slot, dan gaan we naar boven.'

Even later opende Fleur met behoorlijke zweethanden de buitendeur. Met één blik zag ze dat hij niet in keuken was en dus liep ze, met Sophie in haar kielzog, door naar de huiskamer.

'Hé Flirtje,' zei hij half geschrokken en kwam overeind van de bank waar hij languit op had gelegen. 'Heb je me zó gemist? Ben je daarom...'

Halverwege de zin stokte zijn stem en staarde hij verbaasd naar Sophie die ook de huiskamer was binnengekomen.

'Hallo daar,' zei hij met een stroperige stem.

'Dat is nog eens thuiskomen,' zei Sophie en bleef half achter Fleur staan. 'Mijn vader heeft me nog nooit gevraagd of ik hem gemist heb.'

Fleur beet op haar onderlip om een zenuwachtig giechellachje weg te bijten en zag dat Gerard een kleur kreeg.

'Eh, ja, maar dat komt omdat ik hier nog maar net woon en ook nog maar net een soort vader ben geworden, hè Fleur?'

'Vast,' zei Fleur kortaf.

Even zag ze zijn ogen bliksemen, maar meteen kwam de glibberige glimlach er weer doorheen. 'Ach, nou ja, ik ben hard aan het werk om goede vaderlijke eigenschappen te ontwikkelen. Wat fijn dat je vriendin is meegekomen hè, Fleur. Kan ik iets voor jullie inschenken?'

'Nee, dank je,' zei Fleur en draaide zich al half om naar de gang. 'Wij gaan huiswerk maken.'

'Huiswerk. Ja, dat is het zware leven van een scholier. Ik vond het zelf altijd verschrikkelijk. Hebben jullie veel?'

Fleur haalde haar schouders op. 'Gaat wel.'

'Goed zo, meid. Een positieve instelling werkt zelfs bij huiswerk het beste, wat jij, Sophie?'

Sophie lachte. 'Nou, dat ligt wel een beetje aan het vak hoor. Het vak dat we nu moeten gaan doen, mogen ze van mij afschaffen.'

Gerard lachte ook en Fleur voelde de irritatie omhoog komen toen ze zag dat het charmeoffensief zelfs bij Sophie begon te werken.

'En over welk vak hebben we het dan, mooie Sophietje?'

Gatver, de gatver. Ze gaf Sophie een stoot met haar elleboog.

'Wiskunde,' zei Sophie en liep alvast naar de trap.

'Daar ben ik heel goed in. Zal ik jullie helpen?' Hij stond al.

'Nee,' zei Fleur en keek hem kwaad aan. 'Dat kunnen we zelf wel. Kom, Sophie, we gaan naar boven.'

Ze draaide zich met een resolute ruk om, duwde Sophie behoorlijk hard voor zich uit en rende bijna de trap op. Boven gekomen kwakte ze met een dreun haar slaapkamerdeur achter zich dicht.

'Sodeju,' zei Sophie. 'Je had me niet verteld dat hij zó goodlooking was.'

'Vind je dat echt?' vroeg Fleur verontwaardigd. 'Na álles wat ik je over hem verteld heb? Hoe kun je hem in hemelsnaam nog leuk vinden? Daar kijk je toch zeker wel doorheen? Het is gewoon een engerd. Hoorde je wat hij vroeg toen ik binnenkwam en hij jou nog niet gezien had?'

'Ja, natuurlijk,' zei Sophie en liet zich met een plof op het bed vallen. 'Hij schrok zich te pletter dat ik er bij was en hij schrok helemaal toen ik die opmerking over mijn vader maakte.'

'Ja, dat vond ik een geweldige zet van je,' zei Fleur. 'Maar daarna ging hij zo met je slijmen dat ik bang was dat je...'

Sophie ging rechtop zitten. 'Nee toch? Dacht je dat echt? Dacht je dat ik daar zou intrappen?'

'Ja, je zat hem helemaal hemels aan te kijken!'

'Hallo!' zei Sophie verontwaardigd. 'Wie heeft hier ervaring met jongens? Ik toch zeker! Weet jij hoeveel vriendjes ik heb gehad? En ze zijn allemaal hetzelfde, Fleur. Je moet ze gewoon aan het woord laten en aan hun lippen hangen, dan vinden ze je fantastisch en zien ze niet eens dat jij ze eigenlijk maar watjes vindt. Want goodlooking of niet, het is natuurlijk een uitgesproken gladjakker.'

'Wát?' lachte Fleur half opgelucht. 'Meen je dat?'

'Ja, natuurlijk, domme doos!'

'O, Sophie, ik ben toch zo blij dat je met me bent meegegaan!' Spontaan barstte ze in huilen uit.

'Hé, hé, wat krijgen we nou?' vroeg Sophie geschrokken en sloeg haar armen om Fleur heen.

'Sorry,' snikte Fleur en verborg haar gezicht tegen de schouder van Sophie.

Sophie maakte sussende geluidjes en streelde haar over haar haren. 'Je mag best huilen hoor, zou ik ook doen in jouw situatie. Stil maar, alles komt goed, stil maar.'

Na wat een eeuwigheid leek maakte ze zich los uit Sophies armen, pakte een tissue uit haar nachtkastje en snoot met veel kabaal haar neus. 'Sorry, ik weet niet waarom ik zo opeens moest huilen.'

'Nou, ik weet het wel,' zei Sophie met verdacht rode ogen. 'Het komt gewoon door vanmorgen en...'

Fleur hief haar hand op. 'Ja, dat zal wel, maarre... Ik wil er eigenlijk niet meer over praten.'

'Zeker weten?'

'Ja.'

'Mooi, dan kun je me nu dat stomme wiskunde uitleggen.'

Ze waren juist aan de laatste opgave begonnen, toen er op de deur werd geklopt en Gerard binnenstapte.

'Sorry voor het storen, dames. Maar Fleurtje, ik wilde

even zeggen dat ik naast de kapstok een kastje voor de mobieltjes heb gemaakt en dat ik je deurklink heb geolied. Heb je niet gemerkt dat hij geen lawaai meer maakt?'

Ze staarde hem sullig aan. Nu kon hij dus in haar kamer komen zonder dat ze het hoorde!

Hij glimlachte. 'Ik wilde iets vragen, Fleur. Heb jij dat prachtige beeldje al opgehaald bij Alfonso?'

'Eh, nee.' Hij kon oprotten met zijn beeldje!

'Dat dacht ik al,' zei hij triomfantelijk. 'Morgen ben ik ook vroeg thuis. Zullen we dan samen gaan?'

'Eh, nee, eh, dat kan niet. Ik heb al afgesproken met Sophie.'

'O,' zei hij duidelijk teleurgesteld. 'Wil je het beeldje soms niet?'

'Ja, natuurlijk wel. Ik ga er morgen met Sophie heen, hè Sophie?'

Haar vriendin knikte nadrukkelijk. 'Was al eeuwen afgesproken, hoor.'

Gerard grijnsde. 'Knap om dat al eeuwen te hebben afgesproken, terwijl het beeldje pas twee dagen geleden ter sprake is gekomen.'

Sophie verblikte of verbloosde niet. 'Ik zei toch niet wát we al eeuwen hebben afgesproken? Dinsdag is gewoon onze vaste dag.'

Gerard knikte. Zijn glimlach was opeens verdwenen en had plaats gemaakt voor een volkomen uitdrukkingsloos gezicht. 'Natuurlijk. Ik ga nu boodschappen doen, we eten om zes uur.'

'Ik eet niet thuis,' zei Fleur en boog zich weer over haar huiswerk.

'Nou, dan is het maar een geluk dat ik even kom zeggen dat ik boodschappen ga doen,' zei hij kortaf. 'Anders had ik veel te veel gehaald. Dat soort dingen moet je eerder melden.'

'Heb ik gedaan. Bij mijn moeder. Dag Gerard.'

Even bleef het stil, daarna draaide hij zich om en sloot de deur achter zich.

'Oef,' zuchtte Sophie. 'Dat kwam wel hard aan.'

Fleur knikte en voelde een koude rilling over haar rug lopen. 'Daar komt hij vast nog wel op terug. Als we alleen zijn.'

'Geen zorgen, zometeen ga je naar de buren en morgen-middag gaan wij samen dat stomme beeldje ophalen, dan ben je dus ook niet alleen. Voor de rest van de week moeten we nog iets verzinnen, want ik heb mijn vader beloofd hem een paar avonden te helpen met het bouwen van een website, dus daar zijn we wel even mee zoet. Maar in het weekend is je moeder er de hele tijd. Voordat je het weet, is hij het hele verhaal vergeten.'

De knikker kwam weer tot leven. 'Weinig kans, Sophie. Weinig kans.'

Hoofdstuk 9

De kleine Elke lag al bijna een half uur op bed en al die tijd zat Fleur met haar mobiel in haar handen. Zou ze pap bellen? Ze wilde zó graag zijn stem even horen. Zijn stem die zou zeggen dat alles in orde kwam. Ze kon toch gewoon zeggen dat hij niet moest komen? Dat dat de hele situatie alleen maar zou verergeren? Dat ze alleen maar haar verhaal kwijt wilde?

Voordat ze verder kon denken hadden haar vingers het nummer al ingetoetst en hoorde ze de telefoon overgaan.

'Hé, Fleur,' hoorde ze haar vaders stem.

'Hé, pap, bel ik gelegen?'

'Tuurlijk, schatje. Ik ben nog wel op de zaak, maar dat geeft niet. O, wacht even...'

Van ver hoorde ze hoe hij tegen anderen sprak en iets riep dat niet voor herhaling vatbaar was. 'Sorry, Fleur, ik moet even een noodsituatie oplossen. Kan ik je later terugbellen?'

Ze haalde diep adem. 'Hoeft niet, pap, ik belde zomaar. Ga maar gauw. Dág.'

Ze drukte het gesprek weg en staarde met brandende ogen voor zich uit.

Twintig minuten later ging haar mobiel. In de veronderstelling dat haar vader haar terugbelde, keek ze op het display en zag tot haar verbazing dat het haar moeder was.

'Hoi mam.'

'Hallo Fleur, ik kom zo even naar je toe, dus als de deurbel gaat doe je dan open?'

'Eh, ja, tuurlijk. Wat is er dan?'

'Dat hoor je zo wel.'

Mam wilde iets met haar bespreken. Gerard. Had hij een of ander stom verhaal opgehangen? Ongetwijfeld. Hij zou elke kans aangrijpen om haar voor te zijn. Mam kwam nooit naar de buren als zij daar aan het oppassen was. Ze zou...

De bel ging en Fleur rende naar de deur.

'Hoi mam.'

'Dag Fleur. Slaapt Elke?'

'Ja, allang.'

'Gelukkig. Kom eens naast me zitten,' zei haar moeder en wees op de bank.

Een beetje ongemakkelijk schoof Fleur naast haar moeder en keek haar vragend aan.

'Ik ben behoorlijk teleurgesteld in jou, Fleur. Hoe heb je dat kunnen doen?'

'Wat?' vroeg Fleur verbaasd.

Haar moeders ogen werden verdacht rood. 'Fleur, wees alsjeblieft eerlijk tegen me. Ik had nooit verwacht dat jij de situatie van gisteravond uit zou buiten alleen omdat je Gerard niet mag.'

'Mam, ik heb geen idee waar je het over hebt! Gaat het over vanochtend?'

'Ja, waar anders over?' vroeg haar moeder zacht. 'Hoe kon je in hemelsnaam in je nakie voor Gerard lopen paraderen? Juist na gisteravond toen je zo overstuur was dat hij in je kamer was geweest en ik zo boos op hem was. Je wíst hoe kwaad ik op hem was. En achteraf was dat niet eens terecht. Hij had uit pure goedheid gehandeld. En dan ga jij... Om zoiets te doen. En dan te bedenken dat Gerard zojuist nog voor je is opgekomen. Hij probeerde een goed woordje voor je te doen omdat hij denkt dat je het er moeilijk mee hebt dat wij samen zijn en dat begrijpt hij wel. Hij wel. Maar ik niet, ik begrijp jou gewoon niet.'

Fleur sprong op en voelde hoe de tranen over haar wangen liepen. 'En waarom begrijp jij me niet, mam. Mijn eigen moeder? Wat denk je wel niet van mij? Ik heb helemaal niet in mijn nakie lopen paraderen! Het idee alleen al!' snikte ze en ging in het hoekje van de bank zitten. 'Hij stond gewoon opeens voor de badkamerdeur toen ik die opendeed. Hij wilde niet eens opzij gaan zodat ik de handdoek kon pakken die op mijn bed lag. Hoe kún jij geloven dat ik bloot zou rondhuppelen?'

Haar moeder strekte haar arm uit. 'Kom eens hier, Fleur. Ik kan er niet tegen als je huilt. Maar kind, ik weet niet meer wat ik geloven moet. Het enige dat ik weet is dat jij Gerard niet zo mag en dat je het hem niet gemakkelijk maakt. Ik weet hoe je bent als je ergens geen zin in hebt. Dan gooi je de kont tegen de krib en ben je vaak onuitstaanbaar. Maar dat heb ik wel geaccepteerd omdat het waarschijnlijk maar tijdelijk is. Pubertijd noemde ik dat. Maar na vandaag weet ik eigenlijk niet meer wat ik ervan denken moet. Het lijkt er bijna op dat je hem in een kwaad daglicht wilt stellen en ik vind niet dat hij dat verdiend heeft. Hij doet heel erg zijn best.'

'Denk je dat, mam?' vroeg Fleur en negeerde mams nog steeds uitgestoken arm. 'Denk je nou heus dat hij zo goed zijn best doet? En denk je nou echt dat ik zoiets belachelijks zou doen? Heb je wel eens goed naar hem gekeken, mam?

Echt, als je dat denkt, dan ben je blind!' riep ze huilend en verborg haar gezicht in haar handen. 'Weet je...'

'Ik denk dat jij degene bent die inmiddels goed naar hem gekeken hebt,' onderbrak haar moeder haar. 'En daarom denk ik dat het beter is dat jij niet meer alleen bent met Gerard.'

De opluchting schoot door haar heen en ze draaide haar hoofd naar haar moeder. 'Gelukkig! Ik denk namelijk ook dat dat veel beter is.'

'Ja?' vroeg haar moeder en keek haar doordringend aan. 'O, nou, eh, dat valt dan weer mee.'

'Hoezo?' vroeg Fleur en wreef over haar wangen.

Haar moeder schudde haar hoofd. 'Nee, laat maar. Luister, Fleur. Ik heb met Gerard afgesproken dat hij alleen op woensdag en in het weekend bij ons is. Mijn vriendinnen heb ik voorlopig afgebeld. Gelukkig had Gerard zijn oude flat nog aangehouden en was dat geen probleem. Hij ziet ook wel in dat het op deze manier niet goed gaat en wil jou graag de ruimte geven om wat langzamer aan hem te wennen. Ook al geloof jij het niet, hij wil echt heel erg zijn best doen. Meteen morgenochtend gaat hij al wat persoonlijke dingen van hem verhuizen en dan zien we hem woensdag weer. Voortaan zal hij op woensdagavond komen en op donderdagochtend weer weggaan. Vervolgens komt hij op zaterdag in de loop van de dag, blijft het resterende deel van het weekend en gaat op maandagochtend weer weg.'

'Als jij er dan maar bijblijft. Ik wil niet alleen met hem zijn. En ik wil een slot op mijn deur.'

'Je weet hoe ik over sloten denk,' zei haar moeder en bekeek haar afgekloven nagels. 'Als er 's nachts iets gebeurt met jou en jouw deur is op slot, dan kan ik niet bij je komen. Maar ik zal er persoonlijk voor zorgen dat jullie voorlopig niet meer met z'n tweetjes zijn.'

'O. Nou, beter, oké dan.'

'Ik denk dat dit voorlopig de beste oplossing is,' zei haar moeder en wrong haar handen in en uit elkaar. 'O ja, en nog iets, probeer in hemelsnaam wat beleefder te zijn en de sfeer niet te verpesten op de momenten dat Gerard er is. Als hij zijn best doet, kun jij dat toch ook? Geef hem een eerlijke kans. En haal morgen dat beeldje op. Hij heeft er heel veel geld voor uitgegeven en de manier waarop jij daarmee omgaat is ronduit ondankbaar.'

'Hoe kun je nu aan dat stomme beeldje denken, terwijl...'

'Tot straks, Fleur,' zei haar moeder en draaide zich om.

Fleur keek haar na door de gang. Even later viel de buitendeur bijna geluidloos in het slot.

Verbijsterd ging ze op de bank zitten terwijl de tranen opnieuw eindeloos over haar wangen gleden. De gedachten tuimelden in een misselijkmakend tempo door haar hoofd, maar één gedachte kwam elke keer weer bovendrijven. Mam geloofde haar niet! Dat kon toch niet? Mam móést haar geloven, maar hoe?

Fleur ging op haar zij op de bank liggen en kroop in elkaar. Ze had het koud, ze was moe en ze kon niet stoppen met huilen. Haar handen graaiden naar het kleine fleecedekentje dat over de rand van de bank hing en snel trok ze het over haar schouders.

Ze moest een strategie bedenken. En ze moest het alleen doen. Pap zou heus wel willen helpen, maar echt op hem rekenen kon ze niet. En Sophie moest haar vader helpen. Er bleef niets anders over dan het alleen te doen.

Haar maag kneep samen en brandend zuur bereikte haar keel. Alleen. Iets bedenken. Een strategie. Eentje die mam zou laten zien dat Gerard lang niet zo aardig was als hij zich voordeed. Dat was belangrijk. Heel belangrijk. Want ze was blijkbaar toch bedreigend voor Gerard geworden. Omdat ze gezegd had dat ze het aan mam zou vertellen? Vast. Daardoor had ze die sukkel in een hoek gedreven en hem munitie in handen gegeven om op haar te schieten. Hij wilde oorlog? Nou, die kon hij krijgen! Maar dan moest ze eerst ophouden met huilen.

Ze ging rechtop zitten en wreef haar wangen droog. Ze

zou het wel goed moeten spelen. Wat kon ze doen zodat het geloofwaardig was? Voor mam, maar ook voor hem. Hij móést het geloven. Als hij het niet geloofde zou hij haar moeder weer een verhaaltje op de mouw spelden. Nee, het moest iets zijn dat niet al te opvallend was. Zoals stil en deemoedig zijn op momenten dat hij samen met mam was. Haar hoofd laten hangen en hem het idee geven dat hij gewonnen had. Dat ze bang voor hem was. Dat hoefde ze in ieder geval niet te spelen. Aarzelend en in het begin met zichtbare tegenzin, hem overal gelijk in geven. En wanneer hij dan op den duur overtuigd was, zou er ongetwijfeld een moment komen dat ze toch weer alleen met hem was. Dan was ze zelf waarschijnlijk wel sterker. Dat moest. In ieder geval moest ze dan minder bang zijn. Want dan zou hij wat anders meemaken!

Om vijf over tien opende ze de voordeur en sloop naar binnen. Toen ze haar jas ophing viel haar blik meteen op het knutselwerkkastje dat de ijverige Gerard naast de kapstok had gemaakt. De mobieltjes van zowel haar moeder als die van hem staken eruit.

Zo zacht mogelijk liep ze op haar tenen naar de trap, maar blijkbaar had mam haar gehoord.

'Fleur, kom eens hier.'

Schoorvoetend liep ze naar de huiskamer en zag haar moeder dicht tegen Gerard aan op de bank zitten. Mams gezicht was rood en opgezwollen en haar onderlip trilde af en toe verdacht. Hoe de engerd naast mam eruit zag wilde ze niet weten, ze ging echt niet naar hem kijken, ze keek wel mooi uit.

'Ik weet dat ons gesprek ook voor jou niet gemakkelijk is geweest,' zei mam met een vreemde, trillende stem die helemaal niet bij haar paste. 'Zullen we morgen allemaal met een schone lei beginnen?'

Nu de strategie in de praktijk brengen. Hoofd laten hangen, treurig gezicht, zacht praten. 'Ja, mam.'

Ze hoorde hoe haar moeder van de bank opstond en even later voelde ze mams armen om zich heen.

'Kom eens bij me, meisje. Het valt niet mee, hè, die pubertijd?'

Wat? Pubertijd? Waar had ze het over? Had ze iets gemist? Hadden ze weer iets nieuws bedacht? Ze wilde al fel reageren, maar bedacht nog net op tijd haar nieuwe strategie. 'Nee, mam.'

'Ach, kind toch,' zei mam en trok haar dicht tegen zich aan. 'We komen er samen wel uit. Als we allemaal maar ons best doen. Samen. Gerard en ik zijn bereid om er keihard aan te werken. Jij ook?'

Gerard was bereid... Ze werd er misselijk van. Kotsmisselijk. Oef, ze moest echt even diep ademhalen, anders zou ze over haar nek gaan. Diep ademhalen bleek ook goed te zijn voor de strategie. 'Ja, mam.'

Ze voelde hoe mam één arm rond haar schouders losliet en zag haar hand. Een hand die nog steeds mooi en slank was, maar geen lange, goedverzorgde nagels meer had. Een hand die haar kin omhoog duwde zodat ze haar moeder wel moest aankijken. Mam met betraande ogen. 'Gelukkig. Maar eigenlijk wist ik het wel. Jij houdt immers ook helemaal niet van ruzie. Gaat het nu weer een beetje, meis?'

Mam keek opeens zó lief, daar kon ze niet tegen, hoor. Voordat ze aan haar net ontwikkelde strategie kon denken, aaide ze haar moeder al over haar wang. 'Ja hoor, mam, maak je maar geen zorgen.'

Ze zag de opluchting verwachtingsvol opgloeien in haar moeders ogen en maakte zich meteen voorzichtig los. 'Maar nu ga ik naar bed, mam, het is al laat en ik moet morgen weer vroeg op.'

'Natuurlijk, lieverd, natuurlijk. Welterusten.'

'Ja, slaap lekker, Fleurtje!' hoorde ze opeens zijn stem.

Strategie, Fleur, denk vooral nú aan de strategie! Houd je hoofd gebogen, bijt op je onderlip, kijk naar de punten van je schoenen en praat heel zacht. Omdat hij het is zorg je voor een zachte, koele stem. 'Ja, eh, jullie ook.'

En nu je rustig omdraaien en zachtjes de trap oplopen naar boven. Ze duwde de klink die inderdaad geen geluid meer gaf naar beneden, sloot de deur achter zich en pakte meteen haar mobiel. Sophie! Kon ze haar nog bellen? Nee, het was na tienen, dan belde je niet meer en bovendien zou die engerd of mam nog wel eens naar haar kamer kunnen komen. Ze gooide haar mobiel op het nachtkastje en liet zich op haar bed vallen. Weer schoot de misselijkheid haar keel in. Deze keer met aanzienlijk meer kracht dan daarnet. Ze rende naar de badkamer en stond kokhalzend boven de wasbak. Tranen heet als gloeiend lood trokken sporen over haar wangen. Bijtende gal in haar keel.

'Ach, kind, toch!' Mams hand met een nat, koud washandje. Mams hand die haar gezicht voorzichtig schoon-wreef.

'Hier schat,' hoorde ze haar moeders stem.

Lusteloos pakte ze de tandenborstel aan die mam in haar hand had. Ze poetste haar tanden, spoelde grondig haar mond en liet zich willoos door haar moeder terugbrengen naar haar kamer. Met slome gebaren trok ze haar kleren uit en haar nachtpon aan en ging in bed liggen.

'Gaat het weer?' vroeg mam die er gelukkig al een stuk minder rood en opgeblazen uitzag.

Fleur knikte en zei niets.

Mam ging naast haar zitten en aaide zacht over haar hoofd. 'Maak je niet zo'n zorgen, lieverdje, dat is niet goed voor je. Dat overgeven deed je vroeger al als je overstuur was. Maar dat is nu niet meer nodig, schatje. Het is allemaal uitgesproken en je zult zien dat het binnenkort allemaal wel goed komt.'

Ze knikte nog een keer en zei niets.

Mam stond op, aaide haar nog even over haar voorhoofd om haar vervolgens een kus op haar wang te geven. 'Ga maar lekker slapen.'

Haar moeder had zich al half omgedraaid toen haar blik

op het nachtkastje bleef rusten. Ze pakte de mobiel. 'Die kan voortaan in het telefoonkastje, goed hè?'

Fleur kwam half overeind, wilde protesteren, maar ging toch maar weer liggen. Strategie voor alles. Ze knikte, mam liep de kamer uit, maar liet de deur op een kiertje.

Tien minuten later boog ze zich over de balustrade op de gang omdat ze haar naam gehoord had.

'Ik begrijp helemaal niets meer van mijn eigen kind.'

'Ze zit in de pubertijd, dat is alles. Kom eens hier, Roosje, kom lekker tegen me aan liggen. We praten er niet meer over, oké? Zo min mogelijk aandacht aan besteden, dat is het beste. En nu, mijn lieve meid, wil ik je helemaal voor mezelf. Je bent van mij, alleen van mij, hoor je me? En ik deel je met niemand.'

'Ach, wat zeg je dat weer lief. Maar je vergeet dat ik een kind heb. Je zult me toch echt met haar moeten delen.'

'Ja, maar dat is maar tijdelijk.'

'Tijdelijk?'

'Eh, ja, ik bedoel eh, als ze straks gaat studeren, gaat ze het huis uit.'

Ze wist niet hoe laat het was toen ze wakker werd van een hand op haar mond. Een hand die licht naar terpentine rook.

'Denk maar niet dat ik er ook maar voor een minuutje ingetuind ben, klein kreng dat je bent!'

Op slag was ze klaarwakker en voelde haar hart het bijna vertrouwde dubbele ritme slaan. Strategie, Fleur, denk om je strategie. Ze draaide haar hoofd opzij zodat haar mond vrijkwam. 'Wát, wat bedoel je?' vroeg ze zo angstig mogelijk en zag vanuit haar ooghoek dat het vijf uur in de ochtend was.

Hij ging recht overeind staan en torende boven haar uit. 'Ken je het spreekwoord "Zo de waard is, vertrouwt hij zijn gasten"?' vroeg hij met een bedrieglijk kalme en vriendelijke stem.

Ze schudde haar hoofd en trok haar dekbed tot aan haar kin.

'Vertel mij niets over toneelspel, kleine etter die je bent! Ik doorgrond alles en ik zie alles.'

Hij boog zich voorover en legde zijn hand over haar keel en nu hoefde ze niet langer te acteren. Het dubbele hartritme was verleden tijd, triple was de toekomst.

'Neem mij niet in de maling, stom kind, nu niet en later niet. Van mij winnen zul je nooit!' Hij drukte even heel hard op haar keel om haar vervolgens, terwijl het leek alsof hij zich afzette, weer los te laten. Hij draaide zich om en verliet geruisloos haar kamer.

Hoofdstuk 10

'Hoe is het mogelijk dat je eigen moeder je niet gelooft!' riep Sophie uit en sloeg hard op het zadel van haar fiets voordat ze hem in het fietsenrek plaatste. 'Ik zou compleet door het lint zijn gegaan. Die vuile gluiperd heeft haar gewoon in zijn macht. Djiezus, wat een gesodemieter.'

Fleur glimlachte dankbaar. Ze was zo moe dat ze niet eens protesteerde tegen het taalgebruik van Sophie. De rest van de nacht had ze niet meer kunnen slapen. Ze had om half zeven Gerard in de badkamer gehoord en daarna hoorde ze hem om zeven uur de voordeur dichttrekken. Er was een grote rilling door haar heengetrokken en het gekke was dat ze toen opeens haar lichaam voelde. Het leek wel of dat rare lijf van haar zich opeens liet gaan, alsof ze opeens "los" was.

'Ik probeer er maar het beste van te maken en ik hoop

natuurlijk dat mijn strategie toch zal gaan werken,' zei ze bijna moedeloos terwijl ook zij haar fiets in het fietsenrek propte.

'Natuurlijk gaat die werken,' zei Sophie met een zelfverzekerd gezicht. 'Maar zeg eens, ik mag toch aannemen dat je je moeder toch wel verteld hebt wat er vanochtend vroeg gebeurd is?'

Fleur schudde haar hoofd. 'Nee. Waarom? Ze is er heilig van overtuigd dat Gerard reuze zijn best doen. Ze gelooft me toch niet.'

'Ja, dág! Ben je helemaal betoeterd! Kom op, zeg, we hebben het hier over je moeder, Fleur. Weet je nog wel, die leuke, gezellige, drukke vrouw met wie je allerlei markten afstruint. Met wie je op zaterdagavond een filmpje huurt en Franse kaasjes zit te eten. En die lekker gaat eten met haar vriendinnen. Echt stom dat ze dat niet meer doet, dan had ze wat stoom kunnen afblazen en even lol kunnen maken. Maar ja, Fleur, ik heb al eerder gezegd dat je verliefde mensen van een bepaalde leeftijd niet kunt meetellen. Het lijkt wel of ze niet meer toerekeningsvatbaar zijn. Hé, hoorde je dat?' straalde Sophie. 'Dat kwam er zo maar in één keer goed uit.'

'Ja, geweldig,' zei Fleur kortaf. 'Maar mijn moeder is bepaald niet op haar achterhoofd gevallen en haar reactie heeft volgens mij niets te maken met het feit dat ze verliefd is. Ze gelooft me gewoon niet.'

'En dan durf jij nog te beweren dat het niet komt omdat ze een vriendje heeft? Kom op, Fleur! Sinds wanneer is dat? Nog niet zolang geleden zou je moeder jou blindelings geloofd hebben. In de tijd dat jullie nog met z'n tweetjes waren zou het niet bij haar zijn opgekomen om jou níet te geloven. Maar troost je,' ging ze in een moeite door, 'uiteindelijk komt het allemaal weer goed. Echt, je moet haar een beetje tijd geven, dan trekt ze weer bij. Hoe heb je het trouwens vanochtend gedaan dan? Jullie ontbijten toch altijd samen.'

Fleur knikte. 'Ja, meestal wel. Maar vanochtend niet. Ik kon het gewoon niet. Ik was hartstikke misselijk. Ik ben zo laat mogelijk naar beneden gegaan, heb een slok thee genomen en toen gezegd dat ik naar school moest. Mijn moeder bleef me de hele tijd volgen met haar ogen, duwde me op het laatst een banaan in mijn handen omdat ze vond dat ik in ieder geval iets moest eten en toen ben ik weggegaan. Ik kan het gewoon niet opbrengen om met haar te praten. Niet nu. Ik kan het zelfs bijna niet opbrengen om naar haar te kijken. Ik ben veel te bang dat ze weer gaat huilen. Of dat ik zelf weer ga huilen. Daarom houd ik maar mijn mond. Wat zou het voor zin hebben om met haar te praten, ze gelooft me toch niet.'

'Tja, weet je,' zei Sophie en trok een denkrimpel in haar voorhoofd. 'Ik bedenk me net dat het misschien juist wel prima is dat je niet over Gerard begonnen bent, dan kan ze het ook niet tegen hem zeggen en dat is alleen maar goed. Dan denkt hij dat je te bang bent om het tegen je moeder te zeggen. Kijk, het is logisch dat hij eerst wantrouwend was. Hij heeft heus wel aan jou gezien dat je je niet laat piepelen. Maar als jij vanaf nu stug blijft volhouden en behoorlijk angstig naar hem kijkt op de momenten dat je hem zogenaamd durft aan te kijken, dan moét hij wel geloven dat hij je in zijn macht heeft. Maar weet je wat ik niet begrijp, Fleur?'

'Nou?'

'Dat je je vader niet belt. Of ga je het zaterdag tegen hem zeggen? Volgens mij is hij de enige die jou echt kan helpen. Ik weet zeker dat hij je meteen gelooft en meteen in zijn auto stapt om verhaal te halen bij die fijne Gerard.'

'Mijn vader is een schat, maar hij is altijd met wat anders bezig. Ik heb gebeld toen ik aan het oppassen was. Had geen enkele zin. Er gebeurde weer wat op de zaak en ik werd in de wacht gezet. Hij zou me later terugbellen, maar ik heb gezegd dat dat niet hoefde. Wat schiet ik ermee op, Sophie? Daarbij heb ik je al gezegd dat ik zijn vakantie niet wil verpesten. Maar nu even iets anders. Ga je na school nog mee naar Alfonso?'

'Waar is het eigenlijk?' vroeg Sophie en trok in één vloeiende beweging haar fiets uit het fietsenrek.

'Ik heb een kaartje met een routebeschrijving,' zei Fleur en betrapte zichzelf op een binnensmondse vloek omdat ze ondanks hard trekken die rotfiets weer niet uit het fietsenrek kreeg.

'Wacht,' zei Sophie en hield haar eigen fiets klem tussen haar benen om vervolgens aan het zadel van Fleurs fiets te trekken. 'Gossamme, wat is dat nou?' riep ze geschrokken.

'Wát?' riep Fleur en keek stomverbaasd naar het zadel in Sophies handen. 'Hoe heb je dat voor elkaar gekregen?' Ze liet haar fiets in het fietsenrek staan en pakte het zadel aan.

'Ik snap er geen bal van,' zei Sophie en knalde haar fiets tegen de muur. 'Moet je kijken,' zei ze terwijl ze de plek aanwees waar het zadel hoorde te zitten.

Fleur boog zich voorover en snapte er niet veel van. 'Snotver, ik had verdorie een rotsmak kunnen maken! Hoe kan dit nou? Kijk, hier hoort het stukje ijzer onder je zadel in te vallen. Zie je, bij die twee gaatjes.'

'Ja, ja, ja, erg interessant,' onderbrak Sophie. 'Wat kan mij...'

'Wacht nou even,' ging Fleur verder. 'Kijk eens op de grond of je een paar rode schroefjes ziet.'

'Róde schroefjes?'

'Jaha,' zei Fleur ongeduldig. 'Je weet toch dat ik samen met mijn vader een half jaar geleden mijn fiets helemaal heb opgeknapt? Hij deed de technische dingen en ik mocht mijn fiets lakken. Als grap heb ik toen ook alle schroeven en moeren rood gelakt. Kijk maar.' Ze wees naar de schroeven die in haar bagagedrager zaten.'

'Ja, verdomd,' zei Sophie. 'O, sorry,' liet ze er meteen op volgen en speurde ijverig de grond af. Na twee minuten hield ze ermee op. 'Nou Fleur, ik zie van alles, maar geen rode schroefjes.'

'Nee, ik ook niet,' zei Fleur. 'Verdikkeme. Laten we dan de conciërge maar roepen.'

Even later stond de conciërge over de fiets gebogen. 'Nou Fleur, die schroefjes gaan er echt niet zomaar uit. Ik denk dat we hier te maken hebben met iemand die denkt dat hij leuk is. Ik zal de fietsenstalling in de gaten houden, want dit is levensgevaarlijk. Heb je er vanochtend niets van gemerkt?'

'Eh, nee. Ik heb er natuurlijk ook helemaal niet opgelet.'

'Je hebt geluk gehad, jongedame,' zei de conciërge en draaide twee nieuwe schroeven vast. 'Voor hetzelfde geld had je een enorme smak gemaakt.'

Niet lang daarna zat haar zadel weer stevig op zijn plaats en konden ze gaan. Fleur haalde het kaartje uit haar jaszak en keek hoe ze moesten rijden.

Vijfentwintig minuten later reden ze hijgend het kleine, stille straatje in. Aan het eind van de straat stonden de grote houten deuren uitnodigend open.

'Daar is het,' zei Fleur en wees naar de enorme deuren. Midden in die beweging stokte haar hand. Was dit een déjà vu? Ze zou het haast gaan denken. Achter één van de deuren zag ze een jongen staan. Een jongen die naar haar keek. Aandachtig. Snel reed ze haar fiets naar de kant. Het leek wel of ze zijn ogen in haar rug voelde prikken toen ze haar fiets een klein beetje trillend, tegen de muur aanzette.

'Je hebt bekijks,' zei Sophie en lachte vriendelijk naar de jongen die aarzelend dichterbij kwam.

Fleur draaide zich om en zag de jongen vlak voor haar staan.

'Hoi,' zei ze.

Hij boog zijn hoofd en bekeek zijn schoenen. 'Hoi,' mompelde hij.

'Ik heb jou al eerder gezien,' zei Fleur vriendelijk. 'Toen ik hier de laatste keer was met mijn moeder.'

'En met Gert,' zei de jongen ernstig en keek haar opeens recht aan.

'Gert? Wie is Gert?'

'Doe niet zo dom!' zei de jongen hard en geïrriteerd. 'Die vent die bij jullie was, natuurlijk.'

'Wacht, je bedoelt Gerard?'

'O, noemt hij zich tegenwoordig Gerard? Bij ons heette hij Gert, maar dat zegt natuurlijk niets. Wie weet wat hij nog meer voor aliassen heeft. Eigenlijk heeft hij een dubbele voornaam volgens zijn oma.'

'Zijn oma?' riepen zowel Fleur als Sophie tegelijk. 'Hij heeft toch geen familie meer?' vroeg Fleur verder.

'De laatste keer dat ik haar zag was ze anders nog springlevend, maar dat doet er nu even niet toe. Gaat die vent met je moeder?'

'Ja, ging hij daarvoor met de jouwe?'

'Ja. Hij woont toch nog niet bij jullie in huis, hè?'

'Jawel, nou, eh, ja, hoe zal ik het zeggen,' hakkelde Fleur.

'Hij heeft er net een paar dagen fulltime gewoond, maar dat ging niet helemaal naar wens en nu woont hij er nog een dag of drie in de week,' flapte Sophie eruit.

De jongen knikte. 'Dat dacht ik wel, dat soort dingen heeft hij altijd zó voor elkaar. Zorg ervoor dat hij niet voor altijd bij jullie komt wonen,' zei hij opeens dringend en greep Fleurs arm. 'Ik méén het. Je kunt hem beter kwijt zijn.' Meteen draaide hij zich om en wilde weglopen.

'Hé, wacht nou even,' riep Fleur. 'Je kunt toch niet zomaar weggaan. Wat weet je eigenlijk van die vent? Wacht nou, ik wil je van alles vragen. Wie ben je eigenlijk en hoe ken je Gerard en...'

De jongen draaide zich weer om en keek op zijn horloge voordat hij antwoord gaf. 'Ik moet nu echt weg. Als je wilt, kan ik volgende week terugkomen.'

'Eh, ja, dat is, eh, nou, goed. Wanneer?'

'Zelfde dag, zelfde plaats, zelfde tijd. Maar geen woord tegen Gerard. Niet dat je mij gezien hebt en niets over wat we net hebben besproken, begrijp je? Niets, helemaal niets!'

'Nee, eh, nee, natuurlijk niet. Tot volgende week dan.'

De jongen knikte, draaide zich om en verdween.

'Nou ja!' zei Sophie en staarde net zo verbouwereerd als Fleur de jongen na. 'Zou die knul wel helemaal in orde zijn?'

'Hoe kun je dat nou zeggen?' vroeg Fleur bijna verontwaardigd. 'We hebben hem misschien vijf minuten gesproken. Maar hij heeft hoe dan ook iets met Gerard te maken, dus daar wil ik wel meer van weten. Geesoes, de geesoes, moet ik nog een hele week wachten. Ik had beter zelf een dag kunnen noemen. Ik ben zo benieuwd wat hij te vertellen heeft. Hij was echt kwaad. Zag je zijn ogen? Ik ben benieuwd wat Gerard hem geflikt heeft.'

'Ja, ik ook. Ik heb niks met Gerard te maken, maar ik ben natuurlijk hartstikke nieuwsgierig. Djiezus, Fleur, die engerd heeft dus wel familie. Hij heeft een oma. Gatver, het zal je kleinkind zijn! Maar wat blijft er dan nog over van zijn verhaal dat hij helemaal alleen is. Dat heeft hij volgens mij ter plekke verzonnen!'

'Ja,' zei Fleur nadenkend. 'Ik ben benieuwd wat er dan nog waar is van zijn zielige verhaal over zijn broertje en zusje.'

'Hoe kan iemand zo'n verhaal vertellen en er dan ook nog wat tranen uitpersen?'

'Geen idee,' zei Fleur. 'Zoiets verzin je toch niet allemaal? Er zal vast wel een kern van waarheid inzitten.'

'Wie weet wat je volgende week te horen krijgt. Maar, moeten we niet eens naar binnen?'

Zodra ze de grote ruimte binnenstapten, kwam Alfonso aanlopen.

'Aha, het olifantenmeisje,' zei hij glimlachend. 'Ik heb begrepen dat je voor de moederolifant komt?'

Fleur knikte.

'Kom maar eens kijken dan,' zei Alfonso en wees uitnodigend naar de zijruimte waar in het midden de grote tafel stond.

Fleur en Sophie liepen achter hem aan en zodra Fleur de

tafel in het oog kreeg, zag ze ook het moederolifantje.

'O, meneer Alfonso, ze is perfect!' riep ze uit en pakte het beeldje op. De gave, gladde buik, de bewerkte, gekromde slurf en zelfs de kleine slagtanden waren het mooiste dat ze ooit gezien had.

Alfonso knikte. 'Ja, ze is redelijk goed gelukt. Zeg, meisje, ik vind het vervelend om hiermee bij jou te komen, maar kun jij die vriend van je moeder vragen wanneer hij van plan is te betalen?'

Fleur kreeg het opeens heel warm en voorzichtig zette ze de moederolifant terug op tafel. 'Bedoelt u dat dit beeldje nog niet betaald is?'

Alfonso schudde zijn hoofd. 'Nee, meid. Op de dag dat hij hier met jou en je moeder was en jullie de babyolifant hebben gekocht, is hij teruggekomen en heeft de moederolifant besteld. Ik heb hem toen verteld dat zo'n beeldje zeker twee keer zoveel zou kosten als het babybeeldje, het is immers ook veel groter, maar dat was geen probleem zei hij. Ik heb hem toen verteld wanneer ik dacht dat het beeldje zo ongeveer klaar zou zijn en toen heeft hij een kaartje van me meegenomen. Hij zou het jou geven als verrassing, zei hij.'

Fleur boog haar hoofd en vocht tegen het brandende gevoel in haar ogen. Fijne verrassing! Maar ze zou zich niet laten kennen.

'Het spijt me, meneer Alfonso, maar dan gaat het niet door. Denkt u dat u het nog wel aan iemand anders zou kunnen verkopen?'

Alfonso krabde zich over zijn kin en keek een beetje ongemakkelijk. 'O, ja, dat is geen enkel probleem. Dit beeld is zó weg. Maar, eh, ik, eh, tja, ik vind het ontzettend vervelend voor je. Ik zou het je best mee willen geven als jij me kunt beloven dat het betaald wordt. Het spijt me dat ik er zo op hamer, maar ik moet er van leven, zie je. Natuurlijk kan ik het je wel met wat korting aanbieden, maar dan nog is het vrij duur, ik weet niet...'

Fleur keerde zich van de tafel af, negeerde haar trillende

handen, rechtte haar schouders en stak haar kin in de lucht. Alsof het geen enkele moeite kostte keek ze Alfonso rustig aan. 'Maakt u zich geen zorgen. Ik begrijp het. Natuurlijk is het erg jammer voor mij, maar ik heb in ieder geval het babyolifantje. Ik hoop dat u de moeder snel zult verkopen. Voor een goede prijs, want dat is ze dubbel en dwars waard. U heeft echt heel erg mooi werk geleverd. En nu moet ik gaan. Ga je mee, Sophie?'

Sophie stond haar met grote ogen aan te kijken, knikte en liep haar achterna het atelier uit.

'Goh, wat kun jij je beheersen zeg! Je leek even sprekend op je moeder. Die kan soms ook doen alsof er niets aan de hand is, terwijl ze van binnen kookt. Ik zou, denk ik, ontploft zijn. Wat een enorme opgeblazen klojo is die Gerard!' riep Sophie uit terwijl ze allebei hun fiets pakten. 'Waarom bel je hem niet even op? Wie weet komt hij meteen hier naar toe om te betalen. Zo kan iedereen natuurlijk de goedzak spelen.'

Fleur schudde haar hoofd. 'Laat maar. Ik ben er eigenlijk blij om. Stel je voor dat hij enorm veel geld voor dat beeld had betaald. Dan had ik nu natuurlijk wel een mooi beeldje gekregen, maar dan had ik vreselijk dankbaar en zo moeten zijn. Dat hoeft nu lekker niet. En het mooiste van alles, ik ben hem niets verschuldigd.'

'Wat ga je tegen je moeder zeggen?'

'De waarheid.'

'Wát?' vroeg haar moeder 's avonds bij het eten. 'Hoe kan dat nou? Weet die meneer Alfonso dat wel zeker? Hij moet zich hebben vergist, Fleur. Ik weet het zeker. Gerard zou je zo'n aanbod niet doen als het niet goed geregeld was. Er moet hier echt sprake zijn van een misverstand.'

'Ja, dat zal wel, mam,' zei Fleur en stond zo rustig mogelijk op, iets dat nog niet meeviel wanneer je trilde van teleurstelling. 'Ik ga naar boven.'

'Wil je geen kopje thee?' vroeg haar moeder bijna smekend.

Fleur schudde haar hoofd. 'Ik heb veel huiswerk,' zei ze nog even rustig en liep de gang in.

'Fleur, wacht even,' riep mam haar achterna.

Ze liep weer terug en bleef in de keukendeuropening staan. 'Ja?'

'Ben je boos op me?'

'Boos op jou, mam? Nee, boos ben ik niet. Wel verdrietig.'

'O Fleurtje! Maar we hebben het toch uitgepraat?'

'Vind je?' vroeg Fleur zacht en boog haar hoofd. 'Ik denk dat jij hebt gezegd wat je wilde zeggen en als dat voor jou uitpraten is, dan zijn we klaar.'

'Fleur! Zo was het toch niet?'

Mam was alweer bijna in tranen en onder andere omstandigheden zou ze dat heel erg gevonden hebben, maar nu moest ze sterk zijn.

'Zo was het een tijdje geleden niet, mam. Nog maar een paar weken geleden konden wij alles tegen elkaar zeggen. Toen zagen we tante Merel nog wel eens. Toen ging jij op woensdagavond lekker eten met je vriendinnen, bij ons thuis of bij één van hen thuis. Toen gingen wij samen naar antiekmarkten. Dat was allemaal in het tijdperk vóór Gerard. Toen kon ik nog met je praten. Over alles. Nu durf ik dat niet meer, want als ik nu iets over Gerard zeg, ben jij ervan overtuigd dat ik jaloers ben. En misschien ben ik dat ook wel een beetje, maar dat wil niet zeggen dat ik lieg.'

'Maar ik heb toch niet gezegd dat je liegt?'

'Nee? Als jij mij zegt dat je niet weet wie je moet geloven...'

'Ja, maar, schat, weet je wel hoe enorm moeilijk deze hele situatie voor mij is? Jij bent mijn kind waar ik zielsveel van houd. Je bent alles voor me. Maar Gerard is de man op wie ik verliefd ben en met wie ik net zo'n beetje samenwoon. Ik zit tussen twee vuren in. Waarom zou Gerard liegen?'

'Mám!'

'Nee, echt, Fleur, ik woon net samen met de man. Vertel me waarom hij dat zou doen?'

Fleur voelde haar ogen bedrieglijk nat worden en slikte zo goed mogelijk de opkomende dot in haar keel weg.

'Dit is precies wat ik bedoel, mam.' Met een ruk draaide ze zich om, rende de trap op en smeet haar kamerdeur achter zich dicht.

Hoofdstuk 11

'Zeg, Fleur, ik hoor van je moeder dat de sfeer bij jullie thuis de laatste paar dagen nogal wat te wensen overlaat, hè? En dat je het niet zo goed kunt vinden met Gerard.'

Ze staarde naar haar beker met chocolademelk en keek pap niet aan. Wat had mam aan haar vader verteld? 'Nou, eh, tja, dat ligt er maar helemaal aan hoe je het bekijkt,' zei ze zo nonchalant mogelijk.

'Fleurtje! Ik ben je vader, hoor,' lachte haar vader en nam een slok van zijn koffie. 'Vertel me nou maar eens wat er aan de hand is, want van je moeder werd ik ook niet veel wijzer. Ze heeft alleen gezegd dat de verhouding tussen jou en Gerard niet optimaal is en dat hij daarom voorlopig niet meer de hele week bij jullie woont, maar wat er precies aan de hand was, kon ik beter aan jou vragen.'

'Ach, pap, het stelt allemaal niet zoveel voor. Ik kan het gewoon niet zo goed met hem vinden.'

'Dat is volgens mij een understatement, Fleur.'

'Ik vind hem niet zo aardig, oké?'

'En daarom zit je al vanaf dinsdag op je kamer? O, wacht even, Fleur,' zei hij vader en pakte zijn rinkelende mobiel uit zijn jaszak.

Fleur slikte en nam een slok van haar chocolademelk.

'Nee, prima, Bart, helemaal goed. Ja, ja, oké, spreek je later. Sorry Fleur,' zei haar vader en legde het mobieltje voor hem op tafel. 'Eh, waar waren we gebleven?'

'Je vroeg waarom ik steeds op mijn kamer zit. Dat is heel simpel, pap. Mam en hij willen altijd andere programma's zien. Daar heb ik echt geen problemen mee hoor. Ik heb een televisie op mijn eigen kamer.'

'Dat geloof ik wel, maar volgens mij is er iets anders aan de hand, iets wat je mij nog niet hebt verteld. Waarom vertel je me niet gewoon wat er aan de hand is?'

'Pap, heus, het valt wel mee. Ik kan het gewoon niet met hem vinden.'

'Oké, noem mij eens een voorbeeld waarom je het niet met Gerard kan vinden.'

Als pap eenmaal beet had, liet hij ook niet makkelijk meer los. Hoe kwam ze hier nou weer vanaf? 'Nou, eh, nou, bijvoorbeeld dat gezeur over zijn zelfgemaakte telefoonkastje.'

'Telefoonkastje?' vroeg haar vader en wierp een blik op het oplichtende schermpje van zijn mobiel.

'Ja, Gerard heeft zich naast de kapstok in de gang volkomen creatief uitgeleefd. Hij heeft een kastje gemaakt waar drie mobiele telefoons in passen. Mam en hij zijn namelijk altijd hun telefoon kwijt. En nu verwachten ze van mij, nee, sterker nog, ik word verplicht om voordat ik naar bed ga, mijn telefoon er ook in te zetten. Maar pap, ik ben mijn telefoon nooit kwijt en ik wil dat ding gewoon naast me op het nachtkastje hebben. Dus daar hebben we een behoorlijke aanvaring over gehad.'

'Jeetje, ik dacht dat er wat verschrikkelijks aan de hand was. Waar hebben we het hier over!' zuchtte haar vader en pakte zijn alweer oplichtende mobieltje.

Fleur zuchtte van opluchting. 'Precies! Het gaat helemaal nergens over, maar intussen wordt het wel steeds erger. Woensdag sliep Gerard hier en ik had mijn telefoon gewoon naast me op het nachtkastje gelegd. Maar wat denk je?'

'Nou?' vroeg haar vader en typte iets op zijn mobiel. 'Ik luister, hoor.'

'Toen ik 's morgens wakker werd,' ging Fleur onverstoorbaar verder, 'lag dat stomme ding er niet meer, stond hij beneden in het kastje. Dus iemand had hem uit mijn kamer gehaald. Donderdagavond was hij kaarten en kwam pas thuis toen ik al sliep en toen heeft hij mijn mobiel brutaalweg uit mijn kamer gehaald!'

Fleur wachtte even en keek naar haar vader die nog steeds met zijn mobiel bezig was. 'Luister je, pap?'

'Eh, ja, ja, tuurlijk, ga verder,' zei haar vader en keek haar beschaamd aan. 'Sorry, schat, ga verder.'

'Vrijdag was ik alleen met mam en heeft mijn telefoon gewoon naast mijn wekker gelegen en niemand heeft hem weggepakt. Maar nu is het zaterdag. Dus vanochtend zei mam dat ik hem vanavond weer in het kastje moest zetten. Dat is toch niet normaal?'

'Tja, Fleur, je kunt er natuurlijk een groot probleem van maken, maar ik denk dat je moeder Gerard wil laten zien hoe blij ze met dat stomme kastje is en dat er gebruik van wordt gemaakt. Dat kan ik wel begrijpen. Nee, echt, Fleur,' zei hij snel omdat Fleur iets wilde zeggen. 'Ik zeg niet dat het goed is, maar ik snap het wel. Het is het alleen allemaal niet waard om er ruzie over te maken... Enfin, weet je wat we doen? Zodra ik terug ben van wintersport kom je lekker naar me toe en gaan we alles eens op een rijtje zetten. Hier moet toch een simpele oplossing voor te vinden zijn.'

'Hoe laat vertrek je, pap?'

'Vannacht om vijf uur. We gaan met een grote, luxe touringcar en hopen dan uiterlijk morgen aan het eind van de middag of begin van de avond aan te komen. Ik stuur je dan een sms, oké? Kom op,' zei hij resoluut en wenkte de ober. 'Ik ga betalen en dan gaan we naar je moeder. Ik moet die ski's nog uit de box pakken en dan nog terug naar Maastricht.'

Tien minuten later reden ze de straat in en tot Fleurs opluchting stond de bus van Gerard niet in de straat. Mooi, dan had hij een klus.

Vlug opende ze de boxdeur en keek stomverbaasd de lange, smalle ruimte in. 'Jeetje, gisteren was het hier nog zo'n rommel dat je je nauwelijks kon bewegen en moet je nu toch eens kijken.'

Haar blik gleed over de lange planken die aan de rechter- en achtermuur waren bevestigd en waar duidelijk nieuwe plastic voorraaddozen op stonden die volgeladen waren met allerlei spullen die daarvoor nog los over de vloer verspreid hadden gelegen.

Achter in de box stond een klein fietsenrekje waar haar eigen fiets, haar moeders fiets en een herenfiets in geklemd stonden. Aarzelend liep ze de opgeruimde box in, want tegen de achterste planken had ze de ski's van haar vader ontdekt. 'Kijk pap, daar staan je ski's.'

Haar vader liep mee de box in en pakte de ski's. 'Nou, nou, je moeder heeft er wel werk van gemaakt, zeg. Moet je eens kijken, ze heeft ze boven en onder ingetaped. Ze was zeker bang dat ik er één zou verliezen.'

'Daar krijg je nog een leuke klus aan, pap. Dat is er niet zomaar af. Nou, ik denk dat mama vanochtend een schoonmaakbui had,' zei Fleur en liep de box weer uit. 'Toen ik hier gisteren mijn fiets inzette, was het nog een zootje. Niet dat je mij hoort klagen hoor, want er is niemand die beter kan opruimen dan mijn moeder,' lachte ze opgelucht. 'Ga je nog even mee naar boven?'

Haar vader glimlachte en liep achter haar aan. 'Vijf minuten dan. Ik zal je moeder bedanken voor de goede zorgen en dan moet ik echt gaan.'

Zodra Fleur de deur opendeed, rook ze de koffie. 'Hoi mam,' zei ze en trok haar vader de keuken in. 'Verrassing! Papa wil je nog wat zeggen.'

'Eh, ja, nou, eh,' schutterde haar vader en tot haar verbazing zag ze dat hij allerschattigst rood werd. 'Nou, eh, bedankt voor het intapen van mijn ski's, zo zal ik ze in ieder geval niet verliezen.'

Mam glimlachte vriendelijk. 'Graag gedaan, hoor. Ik heb het trouwens niet alleen gedaan, Gerard heeft geholpen. We zijn de hele ochtend bezig geweest om de box op te ruimen, want hij kon er alleen maar zijn fiets in kwijt. Hij is nu naar zijn werkplaats om gereedschap en zo op te halen, omdat hij anders steeds naar de binnenstad moet en eh...'

'O. Nou bedank hem dan maar.'

'Zal ik doen.'

'Oké. Mooi,' zei haar vader en draaide zich alvast een beetje om. 'Ja, eh, ik moet meteen weer gaan. We vertrekken vannacht en ik moet nog een aardig ritje terug maken.'

'Eh, ja, goede reis en veel plezier.'

Fleur liep nog even mee naar haar vaders auto, gaf hem door het geopende raam een zoen op zijn wang en zwaaide hem uit tot hij om de hoek verdween.

's Avonds na het eten verdween ze naar haar kamer. Dat geflikflooi van mam en Gerard was niet om aan te zien! Ze zette haar computer aan. Misschien was Sophie op MSN.

Een half uur later lag er opeens een hand op haar schouder en schrok ze zich een ongeluk. Ze draaide zich een kwartslag en keek in het grijnzende gezicht van Gerard.

'Wat is er, flirtje? Last van een slecht geweten?'

'Eh, nee, hoor. Jij kunt nogal zachtjes binnenkomen en dan sta je opeens naast me zonder dat ik je gehoord heb.'

'Ja, ja, dat zegt iedereen die iets te verbergen heeft,' zei Gerard en gluurde langs haar heen op het beeldscherm. 'O, zit je lekker te roddelen met je vriendinnen of zit je heel stoute dingen te doen?'

'Stoute dingen? Waar heb je het over?'

'Ach, mijn lieve, kleine onschuldige meisje! Nou, ga eens opzij met je verleidelijke lijfje en laat mij eens kijken.'

Fleur draaide zich een kwartslag terug en klikte het scherm weg. 'Sorry, Gerard, maar dit is privé.'

Zijn gezicht betrok en opeens begreep ze helemaal niet meer hoe ze hem ooit nog als redelijk aantrekkelijk had kunnen omschrijven. Zijn kaaklijn leek wel uitgesneden, zo scherp stak het bot eruit, zijn lippen waren één rechte strakke lijn en zijn ogen spuwden vuur. 'Zo, zo, heb je geheimen voor me? Niet doen, meisje, echt niet doen, op de een of andere manier kom ik er toch wel achter.'

Ze boog haar hoofd en beet op haar tanden. Vanuit het niets begon er een kleine knikker in haar hoofd te rollen. Links, rechts, links, rechts. Bonkend tegen de ene kant, bonkend tegen de andere kant. Het bonken veroorzaakte sterretjes in de uiterste hoeken van haar gezichtsveld. Daar mocht ze niet aan toegeven. Niet aan denken, Fleur. Denk aan je strategie, Fleur, alleen aan strategie. Dus nu zwijgzaam met gebogen hoofd blijven zitten zodat hij misschien wel denkt dat jij je overgeeft.

Ze keek al zeker dertig seconden naar haar toetsenbord en zag vanuit haar ooghoeken zijn voeten die onbeweeglijk bleven staan. Nog steeds had ook hij niets gezegd en die dertig seconden duurden veel langer dan ze had gedacht. Misschien moest ze toch maar een poging wagen.

'Waar kwam je eigenlijk voor?' vroeg ze zacht en met een bewust aangebrachte trilling in haar stem.

Hij ging recht achter haar staan, legde zijn handen op haar onderrug en grinnikte in haar oor. 'Flirtje toch! Ik zou er bijna intuinen. Ga zo door, misschien lukt het ooit nog een keer. Heb je al eens aan toneelles gedacht? Ik weet zeker dat je zó wordt aangenomen. Maar, ik kom hier omdat je moeder dacht dat je het leuk zou vinden samen met ons een film te gaan kijken die elk moment kan beginnen. Vreemde gedachten kan die vrouw toch soms hebben. Alsof ik jou erbij wil hebben! Maar ik zeg wel dat je lekker zit te kwebbelen op MSN, zullen we het daarop houden?'

Zijn hand zocht via haar rug de weg naar haar nek. Zijn duim kwam aan de linkerkant van haar hals, de rest van zijn vingers aan de rechterkant. Strelend, wrijvend, knijpend.

Ze knikte zwijgend en liet toe dat haar hartritme weer verdubbelde.

Hij schudde haar nek heen en weer alsof er geen hoofd aan vastzat en de knikker sloeg op hol. De keren dat hij de linker- of rechterkant van haar hoofd raakte kon ze niet meer bijhouden en de sterretjes schoten alle kanten op. 'Denk maar niet dat ik jouw gehoorzame meisjesact geloof, flirtje. Misschien geloof ik wel dat je bang begint te worden. Kippenvel en angstzweet kun je niet faken. En meisjes die bang zijn...' Grinnikend verliet hij haar kamer.

Zodra ze hoorde dat hij de trap af was, rende ze naar de badkamer, deed de badkamerdeur op slot en hield haar polsen onder een ijskoude stroom koud water. Niet dat het hielp. Even later kotste ze de wasbak vol. En mam kwam niet.

Drie uur later hoorde ze mam giechelend de trap opkomen, gevolgd door haar lachende vriendje. Het maakte niet uit dat ze mam hard hoorde fluisteren dat hij zachtjes moest doen, hij bleef hardop lachen. En zij lag trillend te wachten tot de deurklink naar beneden zou gaan.

Hoe laat was het? Fleur draaide zich om en keek op de wekker. Tien over half tien. Goh, ze had dus toch geslapen, ze had zelfs uitgeslapen. En hij was niet gekomen! Ze ging zitten, graaide onder haar kussen, maar vond niets. Met een ruk trok ze het kussen weg en staarde naar het zachtblauwe onderlaken. Waar was haar telefoon?

Op haar tenen sloop ze de trap af, keek de gang in en ja hoor, daar stond haar mobiel. In het telefoonkastje. Stampend liep ze terug naar boven en knalde haar kamerdeur dicht.

'Fleur!' zei haar moeder die vijf seconden later de deur weer opendeed. 'Ben je helemaal betoeterd! Waarom maak je zoveel lawaai op mijn vrije zondagochtend?'

'Omdat jij het blijkbaar niet nodig vindt ook maar een beetje rekening met mij te houden, dáárom!' riep Fleur woedend.

'Waar heb je het over?' vroeg haar moeder en wreef de haren uit haar slaapgezicht.

'Híerover!' riep Fleur nog even kwaad en stak haar mobieltje omhoog. 'Toen ik ging slapen lag hij onder mijn kussen en vanochtend lag hij daar niet meer, maar stond hij beneden in dat achterlijke telefoonkastje van je fijne vriendje. Kun je wel, mijn telefoon weghalen terwijl ik slaap?'

'Ik heb je telefoon niet weggehaald. Zodra ik mijn kussen rook, ben ik in slaap gevallen. Ik heb zo vast als een huis geslapen en werd pas wakker toen jij stampend op de trap liep.'

Fleurde knalde haar mobiel op haar bed en stampvoette. 'Dan heeft Gerard het dus gedaan. Mam, ik wil niet dat hij in mijn kamer komt en al helemaal niet als ik slaap. O, bah, gatverdamme! Ik hoef hem vandaag ook niet te zien, hoor! Ik blijf wel op mijn kamer.'

Haar moeder wist duidelijk niet meer wat ze zeggen moest. Ze zag eruit als een klein meisje dat net een standje heeft gekregen. 'Eh, tja, eh, daar heb je wel een punt. Ik zal tegen hem zeggen dat hij niet meer in je kamer moet komen.'

Fleur ging vlak voor haar moeder staan en voelde zelf de boosheid in haar woorden. 'Niet alleen zeggen, mam. Je moet het hem verbieden! Hij heeft in deze kamer niets te zoeken, dit is privé.'

'Wat is privé?' klonk er een zware stem vanuit de gang.

Mams gezicht betrok en Fleur dacht er even een vleugje angst op te zien. Ze draaide zich in ieder geval wel supersnel om en rende bijna de gang in.

'Kom, we moeten even praten,' hoorde ze haar moeders stem.

'Praten? Ik heb net mijn ogen open! Waarover nu weer?'

De deur van hun slaapkamer ging dicht en hoe ze ook haar best deed, ze hoorde alleen nog maar fluisterende stemmen die niet te verstaan waren. Even bleef ze op de gang staan luisteren maar het had geen zin.

Vlug glipte ze naar beneden, schoot de keuken in en maakte een paar boterhammen klaar. Mam zou zeggen dat hij niet meer in haar kamer mocht komen. Gerard zou er ongetwijfeld een prachtig verhaal aan verbinden en uiteindelijk zouden ze klef gaan doen en was alles weer goed tussen hen. Wedden dat als mam straks naar beneden kwam dat ze dan "gezellig" samen wilde ontbijten? Het idee met die vent aan één tafel te moeten zitten!

Ze belegde haar boterhammen, pakte een appel, een pak vruchtensap en een glas. Zo kwam ze de rest van de dag wel door. Net zo vlug en geruisloos als ze naar beneden was geglipt, sloop ze nu weer naar boven.

Aan het eind van de middag kreeg ze een sms van haar vader. Veilig aangekomen, prachtig hotel en dito weer. Ik bel je morgen.

In het donkerste en koudste deel van de nacht werd ze wakker. Zijn hand lag op haar mond en zijn mond fluisterde in haar oor. 'Jij denkt nog steeds dat je het van me kunt winnen. O, meisje, wat vergis jij je daarin. En wat zul je straks een spijt hebben. Ik heb je gewaarschuwd. Mij wil je echt niet als tegenstander, maar blijkbaar ben je òf doof òf dom. Wedden dat je me om genade gaat vragen?'

Hij liet toe dat ze haar hoofd omdraaide zodat ze hem aan kon kijken. Zelfs in het donker zag ze de idiote grijnsglimlach rond zijn mond. Zijn hand gleed van haar mond en bleef quasi nonchalant in haar nek liggen. Zijn vingers zochten rond haar keel totdat ze een plekje hadden gevonden dat blijkbaar prettig was, want ze beten zich erin vast en Fleur hapte naar adem. 'Ma...' kwam er bijna gillend uit haar mond, voordat hij zijn hand er weer oplegde.

'Je kunt om je moedertje roepen zoveel je wilt, maar ze slaapt. En als zij eenmaal slaapt...'

Haar ogen gingen branden en haar hart vond het slaapritme blijkbaar te langzaam.

Zijn hand gleed weer naar haar keel. 'Waar is je mobiel, flirtje?' fluisterde hij met een griezelig aardige stem. 'Niet onder je kussen, dus je hebt hem verstopt.'

'In de onderste lade van mijn nachtkastje,' zei ze moedeloos.

'Zul je voortaan braaf je telefoontje in het kastje zetten, kleine meid?' vroeg hij nog even vriendelijk terwijl de druk op haar keel toenam.

'Ja,' zei ze met dikke stem.

'Ja, lieve Gerard,' zei hij streng en drukte nog iets harder.

Al moest ze haar tong afbijten, maar dát zei ze niet! Ze sloot haar ogen en voelde hoe de hand haar keel verliet en de zijkant van haar hoofd vond. Hij duwde haar hoofd opzij, haar neus keihard in het kussen. 'Zeg het,' siste hij.

Ze probeerde uit alle macht haar hoofd terug te draaien, probeerde zich af te zetten met haar handen, maar één van zijn handen pakte moeiteloos haar beide armen vast en drukte ze het matras in. 'Zeg het, klein kreng! Je zult verdomme doen wat ik zég!'

Ze probeerde haar hoofd te schudden, maar hij duwde haar zo hard het kussen in dat ze bijna zeker wist dat ze zou stikken. Ze schopte met haar benen en eindelijk, na wat een eeuwigheid leek, liet hij haar los en draaide haar terug op haar rug. Hij ging naast haar zitten op het bed en met een angstaanjagende tederheid veegde hij een streng haar uit haar gezicht. 'Dus, mijn kleine flirtje, je kunt kiezen, óf je doet wat ik zeg en loopt mij niet in de weg, óf ik maak je heel langzaam kapot en dan ga je vanzelf wel weg. Dat laatste heeft inmiddels mijn voorkeur.'

Zijn gezicht was bezweet, zijn ogen leken bovennatuurlijk te glanzen en zijn stem was zo vriendelijk dat een normaal mens zich zou afvragen of dit allemaal maar een droom was.

'Nou?' vroeg hij en stak zijn handen weer uit naar haar keel.

'Oké, oké,' zei Fleur vlug en probeerde uit alle macht de tranen terug te dringen die ondanks haar vaste voornemen toch over haar wangen begonnen te rollen.

Hij stak een hand uit en haar hart spurtte weg, maar hij veegde slechts met een enkele vinger een traan weg. 'Ach, liefje toch. Dit was toch allemaal niet nodig? Als jij gewoon doet wat ik zeg, worden wij dikke vrienden. Afgesproken?'

Ze moest wel knikken, wat kon ze anders?

Hij keek haar bijna lieflijk aan en paste daar zijn stem op aan. 'Ja, lieve Gerard.'

Het leek of ze zou stikken, maar ze zei het. 'Ja, lieve Gerard.'

Hij glimlachte breeduit, stond op, opende de onderste la van haar nachtkastje en pakte haar mobiel eruit. 'Slaap lekker!'

Op haar wekker zag ze dat het half zes was, maar slapen ging niet meer. Ze had twee hazenslaapjes gedaan, maar elke keer was ze wakker geworden met een hartslag van iemand die de marathon had gelopen en ogen waaruit de tranen bleven lopen. Steeds schoot ze overeind en staarde in het donker naar de deurklink terwijl ze zich afvroeg wat de knikker in haar hoofd nu weer van plan was. Zodra ze aan Gerard dacht ging de knikker harder tekeer, dus ze probeerde zo min mogelijk aan hem te denken. Niet dat dat lukte. Elke keer leek ze opnieuw zijn handen te voelen.

Het had geen zin meer, ze ging eruit. Ze zou zo zacht mogelijk opstaan, ze zou zorgen dat geen enkele deur ging kraken, en dan... Dan pakte ze hem terug. Want dat wist ze inmiddels zeker. Ze zou hem terugpakken. En zij was de enige die dat kon doen. Hoe lief Sophie ook was, zij werd niet bedreigd. En op papa hoefde ze helemaal niet te rekenen. Nee, ze zou Gerard zelf moeten aanpakken. Op zijn eigen manier.

Hoofdstuk 12

Op sloffen sloop ze zo zacht mogelijk de trap af en de keuken in. Uit het keukenkastje met schoonmaakmiddelen pakte ze een plastic gieter en uit het voorraadkastje een pak suiker. Voorzichtig opende ze het pak en strooide de helft ervan in de gieter. Ze vouwde het pak dicht op de manier die ze van haar moeder kende en zette het terug in het voorraadkastje. Vervolgens hield ze de gieter onder de kraan, vulde hem tot aan de rand en zette hijgend het zware ding alvast in de gang, naast de buitendeur. Ze liep op haar tenen terug de keuken in en inspecteerde de hele vloer. Nee. Gelukkig. Nergens ook maar een druppeltje water of een korreltje suiker geknoeid. Met bonkend hart sloop ze terug naar de trap. Ze hield haar adem in, maar boven bleef alles stil. Ze keek op haar horloge. Zes uur. Hoogste tijd.

Ze trok haar jas over haar nachtpon aan en opende de voordeur. Vervolgens stak ze haar sleutel aan de buitenkant in het slot, draaide de sleutel een slag en zag het palletje naar binnen schieten. Heel voorzichtig trok ze de deur dicht en draaide de sleutel weer een slag terug. Gelukt! De deur was geluidloos dicht gegaan. Dit was deel één, op weg naar twee.

Zodra ze beneden op straat aankwam, keek ze spiedend om zich heen. Gelukkig, geen hond te zien. Stiekem had ze daar al op gehoopt, want wie zou er nu zo vroeg in de ochtend al op straat zijn, maar je wist het maar nooit.

Snel liep ze op de oude bestelbus van Gerard af, keek nog een keer om zich heen, zette de gieter aan haar voeten en draaide met twee handen aan de benzinedop. Geesoes, wat zat dat ding strak! Na flink wat duw- en trekwerk draaide ze hem open, pakte de gieter en stak de tuit daarvan zo diep mogelijk in de opening. Vlug, vlug, vlug, hoe lang kon een liter duren? Ze bleef om zich heen kijken, maar er was gelukkig nog steeds niemand te zien.

Na wat een eeuwigheid leek, was de gieter leeg. Snel draaide ze de benzinedop er weer op. Snotver! In de verte zag ze een vroege wandelaar met een hond. Ze bukte meteen achter de auto en gluurde langs de zijkant om te zien wat de wandelaar deed. Welja, de man ging op zijn gemak een sjaggie draaien terwijl de hond liep te snuffelen aan elke steen die hij tegenkwam. Ze haalde diep adem en voelde de kou langs haar blote benen onder haar nachtpon waaien. Ze kon hier niet blijven staan. Het was hartstikke koud en als die man zag dat ze hier met blote benen en sloffen aan buiten stond, zou hij onmiddellijk aan haar verstandelijke vermogens gaan twijfelen.

Ze bleef gluren en toen de man bukte om zijn hond te aaien, rende ze vanachter de auto weg, in één keer door naar het trappenhuis. Net zo stil als ze was weggegaan, kwam ze ook weer binnen. Meteen sloop ze naar de trap. Haar hart bonsde ongenadig hard in haar lichaam en ze durfde bijna niet te ademen. Nee, er was nog steeds geen geluid te horen.

Ze hing haar jas terug op de kapstok, wilde de gieter droogwrijven met een theedoek maar bedacht net op tijd dat een vochtige theedoek zou opvallen en dus nam ze de rand van haar nachtpon, wreef net zo lang tot de gieter kurkdroog was en zette hem geluidloos terug in het keukenkastje. Daarna liep ze op haar tenen in slowmotion de trap op terwijl haar ogen onafgebroken bleven kijken naar de deur van haar moeders slaapkamer. Niet opengaan, alsjeblieft niet opengaan!

Zodra ze terug was in haar slaapkamer, slaakte ze een diepe zucht, kroop haar bed in en lag te trillen. Wat een idioot was ze toch! Buiten was het hartstikke koud en daar had ze niet eens gerild. Nu lag ze hier onder haar warme dekbedje te trillen als een oude dame met Parkinson!

Geesoes, wat was dat? Ze schoot overeind, maar herkende het geluid en na een blik op haar eigen wekker, wist ze het zeker. Dit was mams wekker, stipt om half zeven. Voorzichtig ging ze weer liggen en draaide op haar zij, gezicht naar de muur. Gerard zou zo opstaan en naar de badkamer gaan. Wie weet stak hij dan wel even zijn hoofd om haar deur.

Drie minuten later hoorde ze de slaapkamerdeur van haar moeder opengaan en de zware stap van Gerard kwam haar richting op. Zonder lawaai te maken zuchtte ze van opluchting toen ze hem fluitend in de badkamer hoorde.

Niet veel later liep haar eigen wekker af. Ze onderdrukte de neiging om de wekker meteen uit te zetten. Nee, dat zou opvallen. Ze moest dat stomme rotding gewoon lawaai laten maken, net als altijd.

'Fleur, zet die wekker af,' hoorde ze Gerard roepen. Na nog even gewacht te hebben, strekte ze haar arm en door een korte druk op de juiste knop zweeg de wekker. Ze rekte zich uit maar bleef nog even liggen. Ze stapte pas uit bed toen ze hoorde dat Gerard de trap afliep. Veiligheid voor alles. Ze liep de badkamer in en kwam er twintig minuten later schoongepoetst weer uit.

Mam was nog niet opgestaan. Had ze zich verslapen? Nee, dat kon niet, mam en verslapen, dat was niet mogelijk. Ze zou toch niet ziek zijn? Voorzichtig deed ze de slaapkamerdeur van haar moeder verder open en gluurde naar binnen. In het schemerdonker kon ze vaag de grote dikke bobbel in bed onderscheiden. 'Mam?' riep ze zacht vanuit de deuropening.

'Mm?'

Op haar tenen sloop ze dichterbij en zag haar moeder met gesloten ogen op haar zij liggen. 'Hé, mam. Heb je je verslapen? De wekker is al lang afgegaan, je moet eruit hoor. Het is al bijna half acht.'

Mam schudde haar hoofd en maakte een kreunend geluid. 'Nee schat, ik werk vandaag maar thuis, denk ik. Ik ben nog zo verschrikkelijk moe, misschien heb ik wel iets onder de leden.'

'O. Kan ik iets voor je halen, thee of zo?'

Haar moeder glimlachte zwakjes. 'Nee, dank je. Ga jij nu maar lekker naar school. Wel wat eten, hoor! Laat mij maar slapen, daar knap ik vast wel weer van op. Dag lieverd.'

'Oké, dan,' zei Fleur, gaf haar moeder een bemoedigend klopje op haar schouder en liep de kamer uit en zo langzaam mogelijk de trap af. Ze kon het niet! Ze deed het niet! Met mam erbij zou het al een enorme opgave geweest zijn, maar nu was het gewoon onmogelijk. De misselijkheid had zich alweer in haar keel genesteld en haar hart nam alvast een aanloop. Ze ging niet. Ze zou haar jas aandoen en zonder ontbijt naar school gaan. Alsof ze nu iets kon eten!

'Zo, jongedame, je bent behoorlijk laat,' zei Gerard zodra hij haar in de gang hoorde.

Fleur rukte haar jas van de kapstok. 'Mama is ziek,' zei ze zonder naar Gerard te kijken die in de deuropening was komen staan.

'Ziek? Hoe kan dat nou? Daar merkte ik gisteren nog niets van. Wat heeft ze dan?'

'Weet ik niet. Ze is heel erg moe, zegt ze.'

'O. Tja, dan ga ik nog maar even bij haar kijken, misschien wil ze iets hebben.'

'Nee, ze wil niets.'

'Dat zullen we nog wel eens zien,' zei Gerard en liep met zijn borst vooruit naar de trap.

Vlug schoot Fleur haar laarzen aan, wilde de deur al uitgaan, toen ze merkte dat ze haar rugtas niet bij zich had. Geesoes, de geesoes, die stond nog op haar kamer.

Ze rende de trap op en juist toen ze boven was, kwam Gerard uit de slaapkamer van haar moeder. 'Ze wil niets. Ze wil alleen maar slapen,' zei hij nog half verbaasd ook!

'Oké,' zei Fleur zacht en liep door naar haar kamer.

Gerard was duidelijk geïrriteerd, wilde nog iets zeggen, maar besloot in plaats daarvan met grote boze stappen de trap af te lopen. Even later hoorde ze dat hij de buitendeur opentrok en hem behoorlijk hard achter zich dichtsmeet.

Fleur slikte en sloop nu zelf de trap af. Ze moest maken dat ze wegkwam. Nog even en hij zou het merken. Dan moest ze niet in de buurt zijn. Nee, vanavond hoorde ze het vanzelf.

Het zou anders lopen. Dat zag ze zodra ze laat in de middag de straat infietste. Gerards bus stond er nog. De misselijk-heid en de knikker vochten om voorrang. Ze kwakte haar fiets in de box, sloot af en liep schoorvoetend naar boven. Zodra ze de buitendeur opende, zag ze hem omdat hij juist de trap afkwam.

'Stil zijn jij, je moeder heeft haar slaap nodig,' gebood hij nog voor ze een woord gezegd had.

'Het is maandag hoor en geen woensdag,' floepte het uit haar mond voordat ze zich omdraaide om haar jas op de kapstok te hangen. Daardoor zag ze niet dat hij in twee grote, geluidloze stappen bij haar was. Hij legde een hand over haar mond en met de andere greep hij haar nek vast. 'Lópen, bijdehand kreng dat je bent.'

Het koude zweet brak haar uit en de angst zette zich vast in haar borstkas. Even liet ze zich willoos naar de huiska-mer duwen, maar van het ene op het andere moment werd ze boos. Heel boos. Ze maaide met haar armen en duwde zijn hand van haar mond. 'Doe normaal, man! Laat me los, je doet me pijn.'

'Jij houdt die grote bek van je,' zei hij met bliksemende ogen en duwde haar nog verder de huiskamer in. 'Ik weet niet of het tot die oerdomme kop van je is doorgedrongen, maar je moeder is ziek. Je hebt haar toch gezien vanochtend of ben je dat alweer vergeten. Ze voelt zich echt beroerd. Denk je dan dat ik haar alleen laat?'

'Over dom gesproken! Denk je dat in al die voorgaande jaren toen jij er nog niet was, mijn moeder nooit ziek is ge-weest?' vroeg ze terwijl ze de trilling in haar stem hoorde. 'Ik kan prima voor mijn moeder zorgen.'

Hij lachte schamper. 'Jij? Jij kan nog niet eens de ontbijtboel opruimen, terwijl je weet dat je moeder ziek is. Laat me niet lachen! Jij laat de troep voor wat het is en trekt de deur achter je dicht. Wie is hier de hele dag geweest? Wie heeft hier bijvoorbeeld jouw ontbijttrotzooi van vanochtend opgeruimd, de boodschappen gedaan, een pan soep gemaakt en een kopje thee naar boven gebracht? Juist, ik! Dus, jongedame, je hebt mooi pech, ik blijf hier tot je moeder weer beter is. En als ik merk,' zei hij merkwaardig kalm en kwam akelig dicht voor haar staan, 'als ik ook maar één seconde merk dat jij tegen je moeder loopt te zeuren dat ik naar huis moet...' Hij streek met een gestrekte wijsvinger over haar keel en de lichte geur van terpentine drong haar neus binnen. Zijn vinger ging van links naar rechts en pakte in één vloeiende beweging haar kin vast. 'Ik zweer het je, Fleur. Ik maak hier nooit grappen over.'

Ze trok haar kin weg en keek naar haar voeten. Ze moest niet bang zijn, nee, sterker nog, ze mócht niet bang zijn! Maar hoe ze ook haar best deed, de bibbers schoten door haar lichaam, om over de knikker in haar hoofd nog maar te zwijgen.

Ze slikte. En nog eens. Strategie, Fleur, strategie. Het was niet erg dat ze bang was. Dat paste juist prima in het plan. Het zou juist heel geloofwaardig zijn wanneer hij dat merkte. 'Dat zal ik heus niet doen, hoor. Mama is toch ziek?' zei ze met een zacht stemmetje dat bij de laatste woorden oversloeg.

'Ja, jouw mammie is ziek,' zei hij terwijl hij nu aanmerkelijk zachter en met slechts één vinger haar kin weer omhoog duwde. 'En zo lang zij ziek is, blijf ik hier, zijn we het daar over eens?'

Ze knikte zogenaamd verslagen en tot haar woede voelde ze een traan over haar wang lopen.

Vanuit het niets sloeg hij zijn armen om haar heen en stokstijf bleef ze staan. Zijn hand aaide verradelijk vriendelijk over haar hoofd. 'Geen zorgen, flirtje. Ik weet wat je moeder nodig heeft en ik zal echt heel goed voor haar zorgen. Als je lief bent, mag je me af en toe helpen. Zijn we nu vriendjes?'

Hij hield haar zó dicht tegen zich aan dat toen ze knikte, haar kin tegen zijn schouder kwam. Zijn hoofd boog en hij verborg zijn gezicht in haar haren. 'Kleine, lekkere flirt van me,' zei hij met een glibberstem.

Verlamd bleef ze staan. Ze kon hem niet van zich afduwen omdat ze zeker wist dat hij dan weer kwaad zou worden en dan zou hij...

Een gerinkel maakte abrupt een eind aan de omhelzing. 'Dat is de jouwe,' zei hij en ging op de bank zitten.

Ze liep terug naar de gang en pakte haar mobiel uit haar jaszak. Pap!

'Hé, pappie,' zei ze opgelucht en liep de keuken in. 'Hoe gaat het met je? Heb je het leuk?'

'Hé, dag lieve schat van me! Ja, het is hier hartstikke leuk. Iedereen heeft het reuze naar zijn zin. Het hotel is ook geweldig en het weer is fantastisch. Koud, maar wel prachtig, zonnig weer en enorm veel sneeuw. Morgen gaan we een lange afdaling doen, dus daar verheug ik me nu al op. Hoe is het met jou?'

'O, eh, goed hoor. Maar mama is ziek.'

'Wat vervelend, meid. Wat heeft ze?'

'Weet ik eigenlijk niet, ik ben net pas thuis. Ik heb haar alleen vanochtend gesproken en toen was ze heel erg moe.'

'Nou ja, dat kan natuurlijk. Ach, het zal de tijd van het jaar wel zijn, er zijn veel mensen met griep, dus grote kans dat zij dat ook heeft. Maar jij kunt heel goed voor haar zorgen, toch?'

'Eh, ja, tuurlijk.'

'Goed zo. Nou, lieverd, er staan mensen op me te wachten dus ik ga ophangen en bel je woensdag weer, oké?'

'Oké, pap, veel plezier nog.'

Ze drukte de telefoon uit en zag dat Gerard de keuken inkwam en de theepot pakte. 'Ik ga even bij mama kijken.'

Hij knikte. 'Dat is goed, maar als ze slaapt, maak haar

dan niet wakker. Slaap is vaak de beste medicijn zegt m'n moedertje altijd.'

'Je moedertje?'

'Nee, jóuw moedertje.'

Ze schudde haar hoofd, liep de gang in en de trap op. De slaapkamerdeur van mam stond open en op haar tenen liep ze naar binnen. Bij het voeteneind bleef ze staan. 'Mam?'

Haar moeder draaide zich op haar rug en keek haar met grote lodderogen aan. 'Hé, meis, hoe was het op school?'

Fleur ging naast haar op bed zitten en pakte haar moeders hand. 'Best. Maar hoe is het met jou? Voel je je al wat beter?'

'Nee,' zei haar moeder en schudde haar hoofd. 'Ik heb geen idee wat er aan de hand is, maar de vermoeidheid is niet weg te krijgen. Ik doe niets anders dan de hele dag slapen en nog heb ik het gevoel dat het niet genoeg is. Maar wat heb jij een trilhandje,' zei ze opeens en bekeek Fleurs gezicht met haar grote waterogen. 'Word je ook ziek?'

Fleur trok haar hand terug en duwde een lok uit haar gezicht. 'Nee, ik heb hard gelopen. Maar mam, heb je naast die vermoeidheid nog ergens anders last van, stijve spieren of keelpijn of zo?'

Weer schudde mams haar hoofd. 'Nee, ik heb alleen zo'n stijve nek en een zwaar hoofd. Alsof het vol met watten zit die een kilo per stuk wegen. En mijn gezicht doet ook een beetje pijn. Raar, hè?'

'Wat is raar?' vroeg Gerard die met een dienblad binnenkwam. Op het dienblad stonden drie bekers en een pot thee.

'Ach,' glimlachte haar moeder en ging een beetje kreunend overeind tegen de kussens zitten. 'Kijk toch eens. Volgens mij ben jij een geboren verzorger. Eerst al dat soepje en nu weer thee. Wat ben je toch een schat.'

Ja, hoor, tuurlijk! En kijk toch eens hoe de schat opfleurde en druk bezig was het dienblad een plekje te geven op het kleine nachtkastje.

'Alles voor mijn meisje.'

'Echt heel erg lief van je, Gerard. Je zorgt fantastisch voor me en menigeen zou er jaloers op zijn, maar morgen moet je niet weer een vrije dag nemen, dat kost je alleen maar geld.'

Hij schonk de thee in de drie bekers en gaf er één aan haar moeder en alsof ze een echt lieflijk gezinnetje waren, gaf hij er ook één aan Fleur. 'Vandaag was toch een verloren dag, Roosje. Een stel idioten heeft aan mijn auto zitten rotzooien. Ik dacht dat zoiets in deze buurt niet zou gebeuren, maar ik heb het blijkbaar mis. Hoe durven ze! Mijn auto is mijn werk en zonder auto kan ik niet werken. Eerst had ik het niet door, omdat hij gewoon startte, maar daarna kreeg ik hem met geen mogelijkheid meer aan de praat en heb ik de ANWB laten komen.'

'Jeetje,' zei mam slapjes en liet zich weer wat naar beneden zakken. 'Wat was er dan mee?'

Gerards gezicht werd een beetje rood en Fleur zag hoeveel moeite het hem kostte om niet kwaad te worden. 'De etters hadden suikerwater in mijn benzine gegooid. Nou vraag ik je! Dat is toch ongelooflijk?'

'Ja, dat is het zeker,' zei mam nog slomer en gaf de beker die nog halfvol thee zat weer terug.

Gerard schudde zijn hoofd en zijn rode kleur werd wat minder. 'Nee, mijn lieve Roos. Je moet in ieder geval die thee opdrinken. Wanneer je ziek bent moet je veel drinken. Het is niet erg wanneer je weinig eet, daar heeft ieder mens genoeg reserves voor, maar je vochthuishouding moet wel op peil blijven. Kom, even een grote meid zijn en opdrinken,' zei hij terwijl hij voor Fleur langs naast haar moeder ging zitten en de beker aan haar moeders lippen zette.

Fleur sprong op alsof hij haar gestoken had en ging aan het voeteneinde staan.

Met duidelijke tegenzin dronk haar moeder nog een paar slokjes, maar toen wilde ze echt niet meer. 'Genoeg, Gerard. Ik ben moe.'

Gerard keek in de beker. 'Er zitten nog twee slokjes in.'

'Nee, Gerard!' Mams stem mocht dan zwak zijn, maar liet aan duidelijkheid niets te wensen over.

Gerard hoorde dat ook en zette de beker terug op het blad, draaide zich om naar Fleur en pakte ook haar beker aan. 'Oké dan. Ga maar slapen, Roosje. We komen straks nog wel even bij je kijken.'

Hoofdstuk 13

'Tja, dat klinkt toch als griep, hoor,' zei Sophie terwijl ze ieder met hun fiets aan de hand het schoolplein afliepen.

'Hé, Fleur. Sophie, wacht dan even!' hoorde ze achter zich een jongensstem schreeuwen.

Ze draaiden zich om en zagen Tobias aan komen rennen. 'Komen jullie bij mij huiswerk maken? Claudia en Karim gaan ook mee.'

'Eh, nee, sorry, graag een andere keer, vandaag kan ik niet,' zei Fleur en keek hem verontschuldigend aan.

'Jee, jij kan tegenwoordig nooit meer. De enige met wie je nog omgaat is Sophie. Jullie zitten ook de hele tijd geheimzinnig te smoezen. Komt het omdat ik voor Gerard heb gewerkt of komt het door wat anders, je, eh, weet wel?'

'Nee, natuurlijk niet, dat hebben we toch uitgesproken en... wacht even. Werk je dan niet meer voor hem?'

Tobias schudde zijn hoofd. 'Nee, nadat ik niet lekker was geworden en toch een lichte hersenschudding bleek te hebben, vond mijn vader het niet goed meer dat ik bij Gerard bleef werken en heeft hij hem opgebeld. Hij bleef heel aardig hoor, maar heeft hem wel eerlijk uitgelegd waarom hij niet wilde dat zijn zoon daar nog ging werken. Gerard begreep het eigenlijk wel en bood nog een keer zijn excuses aan. Daarna heb ik hem nooit meer gezien of gesproken.'

'O. Nou, beter,' zei Fleur schoorvoetend. 'Maar, eh, daar had het echt niks mee te maken hoor en ook niet met dat andere, dat weet je toch wel? Ik heb gewoon wat anders te doen.'

'En jij dan, Sophie, heb jij ook wat anders te doen?' zei Tobias die duidelijk van plan was niet zo maar op te geven.

Sophie keek haar aan en Fleur knikte. 'Ga gewoon, joh.'

'Zeker weten?' vroeg Sophie aarzelend.

'Ja, joh, ik bel je vanavond wel even hoe het afgelopen is. Heus,' zei ze snel na het zien van Sophies bezorgde gezicht. 'Het komt wel goed. Dág.' Ze draaide zich om, stapte op haar fiets en toen ze bijna bij de hoek was, draaide ze zich nog even om en zwaaide.

Misschien was het wel beter zo, bedacht ze terwijl ze stevig doorfietste. Als zij nu alleen met die jongen was, zou hij misschien minder verlegen of achterdochtig zijn en veel meer loslaten.

Na twintig minuten flink doortrappen bereikte ze de straat waar Alfonso zijn atelier had en zodra ze de straat infietste, zag ze de jongen staan op de plek die inmiddels bij hem leek te horen, achter de grote openstaande deur van het atelier.

'Hoi,' zei ze terwijl ze afstapte en haar fiets tegen de muur wilde zetten.

'Nee,' zei de jongen en wenkte haar. 'Neem je fiets maar mee, hier staat hij veel te veel in het zicht.'

Hij ging haar voor en verdween achter de grote deur. Ze liep achter hem aan en zag nu pas dat het atelier het laatste huis in de straat was. Langs de zijkant van het atelier liep, schuin naar beneden, een groenstrook die uitkwam in het water.

'Zet je fiets maar tegen die blinde muur aan,' zei de jongen rustig terwijl hij behoedzaam over zijn schouder bleef kijken. 'Geen mens die hier ooit komt kijken, dus hier staat hij wel veilig. Kom, loop een beetje door. Verderop heb ik een roeibootje liggen, daar kunnen we wel even in gaan zitten.'

Zijn geheimzinnige gedrag en zijn strakke gezicht waarin een strenge streep voor zijn mond moest doorgaan, maakten haar nerveus en van de weeromstuit ging zij verdikkeme ook over haar schouder kijken! 'Hé, waarom doen we eigenlijk zo spionnerig? Je maakt me helemaal zenuwachtig.'

Even keek hij minder strak en werd de streep een echte mond. 'Sorry, macht der gewoonte. Ik leg het je zo wel uit, kom nou maar.'

Verderop lag inderdaad een bootje in het water en voordat ze het wist had ze de uitgestoken hand van de jongen aangepakt en liet ze zich op het smalle bankje zakken. De jongen ging tegenover haar op de bodem van het bootje zitten. Zijn gezicht was onverminderd wit en de uitdrukking in zijn ogen bleef ernstig. 'Je zult me misschien een idioot vinden, maar met Gert valt niet te spotten. Als hij zou weten waar we nu wonen, weet ik zeker dat hij ons gaat opzoeken, vandaar dat ik altijd alert ben.'

'Hoe heet je eigenlijk?' vroeg Fleur en wreef haar handen warm.

Hij schudde zijn hoofd. 'Het spijt me, maar dat kan ik je niet vertellen. Als Gert erachter komt, ben ik echt de pineut.'

Het nerveuze gevoel kwam terug en drukte hinderlijk tegen haar middenrif. 'Dan verzin je toch een naam? Ik kan je toch moeilijk de hele tijd met "jongen" aanspreken.'

Hij staarde even voor zich uit. 'Oké dan, noem mij maar Bibi.'

'Bibi? Dat is een meisjesnaam!'

De jongen knikte. 'Precies. Mocht jij je een keer verspreken dan weet hij in ieder geval niet dat ik het ben.'

Fleur schudde haar hoofd. 'Jeetje, is het zo erg? Wat heeft hij gedaan?'

'Hij heeft mijn moeder stapelgek gemaakt. Ze woont af en toe tijdelijk in een psychiatrische inrichting en ik woon voorlopig bij mijn oma en opa.'

Fleur staarde hem aan en voelde hoe haar mond openviel.

'Nee! Wat verschrikkelijk. Hoe is dat gebeurd?'

De jongen schudde zijn hoofd. 'Luister. Ik ben eigenlijk niet zo'n prater, maar ik wil niet dat jou of wie dan ook hetzelfde overkomt. Als ik je die zaterdag niet toevallig had gezien, had ik je niet kunnen waarschuwen.'

'Ja, wat deed je hier eigenlijk die dag?' vroeg Fleur nieuwsgierig.

'Een half jaar geleden heb ik van mijn grootouders dit bootje gekregen en ga ik er bijna dagelijks een stukje mee varen. Die zaterdag was ik hier beland en zag ik opeens dat ik bij het atelier van meneer Alfonso was. Een aantal jaar geleden was ik hier met Gert om een houten vogeltje te kopen. Uit nieuwsgierigheid ben ik gaan kijken of Alfonso er nog zat en zag ik jullie aankomen. Tot mijn stomme verbazing zag ik Gert uit de auto stappen. Het was hem dus weer gelukt. Weer een vrouw met een kind. Toen wist ik dat ik je moest waarschuwen. Vanaf dat moment ben ik hier bijna elke dag geweest. Je móést gewoon een keer terugkomen.'

Fleur staarde hem aan. 'Dat is wel heel lief van je. Je kent me niet eens.'

Hij schudde zijn hoofd. 'Maakt niet uit. Wat hij heeft gedaan, dat gun je niemand.'

'Wat dan?'

'Bijna dagelijks heeft hij mijn moeder ingefluisterd dat ik een niet te vertrouwen rotjoch was die tussen hen in probeerde te komen. Hij noemde me altijd "het kleine ettertje". Ik was het ettertje die haar het geluk niet gunde en ondertussen flikte hij me allerlei gemene geintjes waardoor mijn moeder hem ging geloven. Hij zorgde ervoor dat er niemand meer bij ons op bezoek kwam. Ook wilde hij liever niet dat mijn moeder 's avonds wegging en dat allemaal omdat hij haar zo graag voor zichzelf wilde hebben, zei hij dan. Uit angst en uit onvermogen bleef ik steeds vaker weg van huis en kwam eigenlijk alleen maar thuis om te eten en te slapen. Stom van me, want zo kreeg hij de kans haar volkomen in te palmen.'

'En toen?'

'Toen ben ik hem gaan volgen. Meteen vanaf het begin vertrouwde ik hem al niet. Hij was veel te vriendelijk en veel te plakkerig. Hij heeft bijvoorbeeld meteen in de eerste week dat houten vogeltje voor me gekocht omdat hij van mijn moeder had gehoord dat ik van vogels hield. Binnen twee weken woonde hij bij ons en deed alsof hij mijn vader was. Niet dat ik weet hoe een vader zou doen, de mijne is overleden toen ik klein was, ik kan me hem niet eens meer herinneren. Gert deed wanneer mijn moeder erbij was zogenaamd vriendelijk en streng tegelijk, dat was blijkbaar zijn idee van hoe een vader moest handelen. Maar als mijn moeder er niet bij was, sloeg hij me of draaide hij mijn arm om, net zo lang tot ik toegaf aan zijn grillen. Ik voelde me zwaar waardeloos, maar toen kreeg ik dus het lumineuze idee hem te gaan volgen. Op donderdag ging hij namelijk altijd naar zijn poolvriendjes. Zei hij.'

'Op donderdag?' onderbrak Fleur hem snel. 'Poolen? Bij ons gaat hij op donderdagavond altijd kaarten.'

De jongen lachte schamper. 'Ik raad je aan hem dan eens te gaan volgen. Maar wel heel voorzichtig en nooit met de fiets, die herkent hij meteen. En je moet iets op je hoofd zetten,' zei hij aarzelend en keek naar haar wilde krullen voordat hij verder ging. 'Weet je waar hij trouw elke donderdag naar toegaat? Naar zijn omaatje!'

'Ja, vorige week zei je al dat hij een oma heeft. Ongelooflijk zeg. Ons heeft hij verteld dat zijn ouders zijn overleden, dat zijn broertje en zusje zijn geadopteerd en dat hij verder geen familie heeft.'

'Ja, lekker type. Ken je de vogelbuurt?' De jongen keek haar aan tot ze knikte. 'Daar woont zijn oma in een klein benedenhuisje. Ze is nogal klein, heeft een heel bleek muizensnoetje en grijs haar. Haar kleding is uit het jaar nul, maar ze is best aardig, ook al is ze volgens mij wel een enorme bemoeial. Ze vertelde wat ze allemaal voor de buren deed en van wie ze allemaal een sleutel had. Ze loopt bij iedereen binnen wanneer het haar uitkomt, doet voor iedereen boodschappen die ze vervolgens ook allemaal voor de buren opruimt in hun kasten. Je zou het niet zeggen als je haar ziet, maar volgens mij is het een loeisterke vrouw. Ze is stapeldol op hem. Uiteindelijk ben ik maar één keer bij haar binnen geweest, zogenaamd voor een project van school. De tweede keer dat ik wilde gaan heeft hij me gesnapt. Dat heb ik geweten.'

'Hoe bedoel je?'

'Ik volgde hem, maar hij bleek míj ook al een tijdje te volgen. Op allerlei manieren. Hij las mijn sms'jes, keek op mijn MSN, keek in mijn schoolagenda en heeft toen ontdekt dat ik bij zijn oma was geweest. De tweede keer dat ik naar haar toe wilde gaan, heeft hij me opgewacht tot ik bij de hoek van haar straat kwam. Daar heeft hij mijn arm gebroken.'

'Wát? Dat meen je niet!'

De jongen knikte. 'Echt. Hij draaide mijn arm zó hard om dat er iets knapte. Heel hard. Hij hoorde het ook en schrok zich rot. Hij ging vreselijk tegen me tekeer, dat het mijn eigen schuld was, dat ik hem had uitgedaagd en dat ik er nu voor zorgde dat hij me naar het ziekenhuis moest brengen terwijl hij daar helemaal geen tijd voor had.'

'Geesoes! Wat zei je moeder ervan?'

'Ik heb het niet verteld, dat mocht niet van hem. Als ik het stiekem toch deed, zou hij me terugpakken op een manier die ik niet gauw zou vergeten. Hij zou niet míj te grazen nemen, maar mijn moeder.'

'Nee! En toen?'

'Hij heeft me zeker een half jaar geterroriseerd, probeerde me op alles te pakken om me vervolgens zogenaamd liefdevol zwart te maken bij mijn moeder. Ik was in die tijd pas twaalf jaar, maar zij en ik spraken alleen nog maar het hoognodige tegen elkaar. Ik kon niet tegen hem op. Ze was helemaal in de ban van die vent. Dat veranderde pas toen ik een keer door de gymleraar naar het ziekenhuis ben gebracht omdat ik gevallen was en niet meer kon opstaan. In het ziekenhuis zagen ze toen allerlei oude littekens en hebben ze mijn moeder gebeld. Ik heb het eerst nog ontkend, maar uiteindelijk heb ik alles verteld. Ik geloof dat mijn moeder op dat moment gek is geworden. Slaat hij jou ook?'

Fleur schudde haar hoofd. 'Nee, maar hij komt stiekem op mijn kamer, knijpt soms mijn keel dicht en hij wil steeds aan me zitten. Hij kijkt naar me alsof hij door mijn kleren heen kan zien.'

'Gatverdamme! Wat een griezel, jongens slaat hij in elkaar en meisjes...'

Fleur keek naar zijn strakbleke gezicht waar de donkere ogen diep in verscholen lagen. Heel voorzichtig plaatste ze haar hand op zijn onderarm. 'Hé, jullie zijn nu toch van hem af?'

De jongen schudde zijn hoofd. 'Dat heeft anders nog heel lang geduurd. Mijn moeder heeft hem op de dag dat ik in het ziekenhuis lag, het huis uitgezet. Daar was hij woedend over en hij heeft haar gedreigd dat ze er nog spijt van zou krijgen. Daar zou hij voor zorgen, al was dat het laatste wat hij deed. Mijn oma en opa zijn toen bij ons in huis komen wonen omdat Gert steeds aan de deur kwam, belde, sms'jes stuurde, brieven schreef en zelfs op mijn moeders werk verscheen. Mijn moeder bracht me naar school en mijn opa haalde me op. Mijn fiets werd weggedaan, ik mocht nergens meer alleen naar toe. Mijn moeder werd met de dag neurotischer. Ze droomde er zelfs van. Uiteindelijk heeft ze een straatverbod aangevraagd en niet lang daarna zijn we verhuisd. Daarna nog twee keer omdat mijn moeder steeds maar bang was dat hij ons zou vinden. Hij kan nu niet meer weten waar we wonen, maar mijn moeder heeft nog steeds angstaanvallen, terwijl we inmiddels vier jaar verder zijn. Ze stak mijn grootouders en mij er ook mee aan. Snap je nu waarom ik altijd over mijn schouder kijk en waarom jij bijvoorbeeld je fiets niet in het oog moet zetten? Hij is een idioot gevaarlijke man die ook jou kan achtervolgen. Het enige dat ik nog kan doen op momenten dat ik er de moed voor heb, is zijn auto beschadigen. Het is niet veel en het mag natuurlijk niet, maar het geeft me wel een goed gevoel. Vooral als hij dan gaat vloeken.'

Fleur glimlachte. 'Zoals toen bij het atelier van Alfonso.' De jongen knikte. 'Dat is het enige wat ik af en toe kan doen. Een soort wraak voor mijn moeder nemen.'

Nu was het de beurt aan Fleur om te knikken. 'Snap ik. Ik heb ook al een keer een rotgeintje met hem uitgehaald, suikerwater in zijn benzine gedaan. Maar hoe bang ik ook voor hem ben, ik wil niet mijn dagen doorbrengen met het bedenken van wraakacties. Maar als hij nog langer bij ons blijft vrees ik dat dat er wel van gaat komen. Vóór die tijd wil ik dat hij weg is. Maar hoe? Mijn moeder is stapeldol op hem en ze heeft niet eens door wat hij doet.'

De jongen stond op en stapte vanuit het bootje op de kant. 'Hij zoekt vrouwen uit die alleen zijn, mijn moeder was weduwe, de jouwe is gescheiden. Daar zal hij wel op kicken. Volgens mij vindt hij het geweldig wanneer vrouwen helemaal van hem afhankelijk zijn en daar kan hij geen kinderen bij gebruiken. Zorg dus dat je hem geen reden geeft jou te wantrouwen. Lok hem niet uit. Zorg dat je geen ruzie met je moeder krijgt. Zorg dat al je sms'jes gewist zijn, zet altijd je MSN uit en schrijf in je schoolagenda alleen schooldingen. En nu moet ik echt weg. Mijn oma houdt er niet van als ik te laat thuiskom. Kom, geef me je hand.'

Even later stonden ze weer in de straat van het atelier. 'Maar als ik braaf doe wat hij zegt en hij heeft het idee dat alles gaat zoals hij het wil, dan kan hij nog wel jaren blijven!'

De jongen knikte. 'Dat kan,' zei hij rustig. 'Maar het kan ook dat je moeder binnenkort niet meer zo verliefd op hem is en dan moet jij je kans pakken. Heel voorzichtig natuurlijk, je moet hem niet meteen zwart gaan maken, dat valt op. Maar gewoon af en toe een opmerking, bijvoorbeeld vragen waarom je tante niet meer komt, waarom ze nooit meer naar haar vriendinnen gaat of waarom jullie zo weinig samen doen. Echt, dat werkt op den duur.'

'Op den duur, ja,' zuchtte Fleur. 'En wat moet ik in de tussentijd?'

'Volhouden,' zei de jongen en keek nog eens om zich heen. 'En zorgen dat de band tussen jou en je moeder goed blijft. Dat is belangrijk. Let daarop. Als je me ooit nodig hebt, leg dan een briefje in de boot.'

'Ja, lekker,' zei Fleur half lachend. 'Dat waait zo weg. Je hebt toch wel een mobiel?'

Hij schudde zijn hoofd. 'Dat kan ik niet doen. Echt niet. Als hij in je telefoon gaat zitten rommelen...'

'Ja, dan ziet hij de naam "Bibi" staan. Het nummer zal hij niet herkennen, want ik neem aan dat je inmiddels een ander nummer hebt.'

De jongen knikte. 'Natuurlijk. Maar uit voorzorg neem ik nooit mijn telefoon op. Ik laat mensen altijd inspreken en dan bel ik wel of niet terug. Ik heb ook geen voicemail gemaakt, je hoort gewoon zo'n computerstem die aangeeft dat je na de piep kunt inspreken.'

'Dat geeft toch niet? Ik zal je echt niet bellen voor een gezellig praatje. Als ik je bel is er iets aan de hand. Ik spreek dus in en dan bel je me terug.'

'Oké, ik bel je dan meteen terug, maar we moeten wel een wachtwoord afspreken,' zei hij resoluut. 'Je weet niet waar hij toe in staat is. Als hij in een rare bui is, kan hij zomaar de mensen uit jouw adresboek gaan bellen. Wacht, ik weet het. Wat is je lievelingskleur?'

'Eh, paars.'

'Mooi, op het moment dat ik je terugbel, begin jij je gesprek met een zin waar het woord "paars" in voorkomt. Zo weet ik zeker dat je veilig kunt praten.'

Fleur staarde hem aan en schudde haar hoofd. 'Gaat het echt zó ver?'

Hij knikte. 'Ja. En nu moet ik gaan en jij ook.'

'Oké,' zei Fleur en keek hem nog even aan. 'Bedankt dat je met me wilde praten.'

'Is wel goed, joh. Dág.' Met een ruk draaide hij zich om en verdween de hoek om.

Fleur liep om het atelier heen, pakte haar fiets en voordat ze opstapte keek ze nog even goed om zich heen. Zou Gerard echt...? Hij was natuurlijk gek. Stapelgek. En elke dag dat hij langer bij hen bleef...

Ze stapte op haar fiets en was nog maar net de hoek om toen haar mobiel ging. Sophie!

Zodra ze de deur opendeed, hoorde ze het al. Mam huilde! En best hard ook. Snel rende ze de trap op en stoof haar moeders kamer in. Mam zat rechtop in de kussens en hield de hoorn van de telefoon in haar hand.

'Wat is er, mam?'

Haar moeder schrok op, legde de hoorn op de haak en droogde de tranen die over haar wangen bleven rollen. Een nagekomen snik ontsnapte. 'O, Fleur,' zei mam hees en keek haar verdrietig aan.

'Wát? Wat?'

'Kom eens bij me zitten,' zei haar moeder al wat rustiger en klopte op de plek naast haar in bed.

Fleur nestelde zich tegen haar moeder aan en hield haar hand vast. 'Wat is er nou, mam?'

'Ik heb net je oma gesproken enne... Je vader... je vader heeft een skiongeluk gehad.'

Fleur schoot overeind. 'Wát? Hoezo? Hoe kan dat? Is het ernstig? Ligt hij in het ziekenhuis en...'

Mam pakte haar hand. 'Rustig even, meisje. Ik zal je alles vertellen wat ik weet. Ja, hij ligt in het ziekenhuis. Zijn linkerbeen is op verschillende plaatsen gebroken, hij heeft inwendige bloedingen en is er op dit moment niet best aan toe. Hij wordt straks geopereerd en dan weten we meer.'

Fleur slikte. 'Hoe kan dat nou? Wat is er dan precies gebeurd? Hij kan hartstikke goed skiën.'

Mam schudde haar hoofd. 'Dat wist oma nog niet. Ze wist alleen dat er iets niet in orde was met de bindingen van zijn ski's.'

'Wat dan? Pap let altijd op alles.'

Mam trok haar dichter tegen zich aan en streelde over haar haren. 'Ik weet het niet, Fleurtje. Zodra papa van de operatiekamer komt zou óf oma óf papa's compagnon Bart ons weer bellen, dus het is afwachten. Laten we maar duimen dat het allemaal meevalt.'

Ze bleef dicht tegen haar moeder aanliggen en voelde haar moeders hartslag. Een hartslag die net zo snel ging als die van haarzelf. Pap een ongeluk? Hoe was het mogelijk. Al die jaren dat ze zelf met skivakantie waren gegaan, had hij haar geleerd op alles te letten. Iets met de bindingen? Wat kon dat zijn?

'Zo, zo, jullie liggen hier gezellig. Schuif eens op, dan kom ik erbij.'

Fleur voelde de kleine knikker in haar linkerhersenhelft en zat meteen rechtop. Mams hand hield haar tegen.

'Nee, Gerard, nu even niet,' zei mam en trok Fleur weer tegen zich aan. 'We hebben zojuist een niet zo prettig telefoontje gekregen. Sebastiaan heeft een skiongeluk gehad. Hij is er niet al te best aan toe en wordt op dit moment geopereerd.'

Gerard bleef aan het voeteneinde van het bed staan en keek beteuterd. 'O. Ja, dat is... ja, dat is niet zo mooi. Nou, eh, zal ik dan maar gaan koken? Ik heb allerlei lekkere dingen gekocht die licht verteerbaar zijn, dus dat moet je kunnen hebben. Want Roos, ondanks dit vervelende bericht, moet je natuurlijk wel aan je gezondheid blijven denken. Je bent behoorlijk ziek geweest en...'

'Gerárd!' zei haar moeder dringend.

'O. Ja. Natuurlijk.' Hij draaide zich om en als een geslagen hond sloop hij de slaapkamer uit.

Fleur draaide zich naar haar moeder toe. 'Dank je wel, mam. Ik ben blij dat we nu met z'n tweetjes kunnen zijn.'

Haar moeder glimlachte waterig, gaf haar een kus op haar voorhoofd en zakte wat naar beneden. 'Laten we onze ogen even dichtdoen.'

's Avonds hoorde ze Gerard telefoneren. Weer geïrriteerd.

'Wat zeur je nou, mens, ik doe dat toch elke week?'

'...'

'Ja, nee, oké, dat had ik niet mogen zeggen, sorry. Maar het komt gewoon omdat je me elke week hetzelfde vraagt en...'

'...'

'Natuurlijk heb ik dat wel voor je over, dat weet je wel. Ik kom toch elke week?'

Hij had een ander! Een ander die hij elke week zag. Wanneer dan? Hij ging alleen op donderdagavond weg. Hij kon die ander dan alleen maar overdag zien. Ach, ze zag het vast verkeerd.

Hoofdstuk 14

'Jeetje, wat erg!' zei Sophie de volgende ochtend in de kantine. 'Heb je wel kunnen slapen, of heb je de hele tijd op dat telefoontje liggen wachten?'

'Dank je,' zei Fleur tegen Karim die net een beker hete thee voor haar neerzette voordat hij naast Sophie ging zitten. 'Nee, ik heb wonder boven wonder best goed geslapen. Om een uur of acht 's avonds belde Bart, de compagnon van mijn vader. De operatie was goed gegaan en mijn vader ligt nu op de intensive care, want de inwendige bloedingen waren heel erg geweest en hij was daardoor behoorlijk verzwakt. Maar als hij het daar goed doet, mag hij waarschijnlijk morgen al gewoon naar zaal. Bart zei dat mijn vader ontzettend veel geluk heeft gehad. Hij had net zo goed een stuk verder naar beneden kunnen vallen en dan had hij het niet meer na kunnen vertellen. In principe heeft hij nu alleen nog last van de naweeën van de operatie en dat gebroken been, maar daar blijft het wel bij, dacht Bart. In zijn been zitten nu trouwens allemaal pennen en ook aan de buitenkant heeft hij een hele stellage van staal zitten.'

'Heftig,' zei Tobias. 'Is dat zo'n geval met van die pennen die ze elke keer wat strakker draaien?'

'Geen idee, het zal wel,' zei Fleur en nam een slokje van haar thee. 'Voorlopig mag hij in ieder geval nog niet vervoerd worden naar Nederland. Dat is nog het ergste, de gedachte dat hij daar helemaal in zijn eentje ligt, zonder familie die hem komt opzoeken. Ik kan niet eens naar hem toe!'

'Maar je kunt hem wel bellen, toch?' vroeg Claudia die toevallig tegen de schouder van Tobias aanleunde.

Fleur schudde haar hoofd. 'Nee, joh. Hij ligt op de intensive care en hij kan nog helemaal niet praten. Maar vanavond belt mijn oma weer.'

'En weten ze nu al waardoor hij gevallen is?' vroeg Sophie.

'De compagnon van mijn vader gaat dat uitzoeken, want hij snapte er ook niets van. Mijn vader kan echt heel goed skiën en op de een of andere manier is hij in een scherpe bocht uit zijn ski geglipt. Bart heeft zitten piekeren tot hij in alle kleuren van de regenboog de prachtigste sterretjes zag, maar het enige wat overbleef waren de bindingen. Dus dat gaat hij nu uitzoeken.'

'De bindingen? Maar die dingen moet je toch altijd door een expert laten afstellen?' vroeg Sophie.

'Ja, dat doet ook iedereen,' knikte Fleur. 'Maar mijn vader is een heel ervaren skiër. Hij skiet al vanaf dat hij een klein jongetje was. En sinds een jaar of tien doet hij het afstellen van bijvoorbeeld nieuwe ski's zelf. Hij stelde ze ook voor mijn moeder en mij af en dat is altijd goed gegaan.'

'Is het zo moeilijk, dan?' vroeg Karim.

'Jij hebt zeker nog nooit geskied?' vroeg Fleur.

Karim schudde zijn hoofd.

'Ja, bindingen afstellen is een heel precies werkje zegt

mijn vader altijd. Het lijkt zo simpel, even met een schroevendraaier rommelen en klaar is kees. Maar voordat je met die schroevendraaier aan de gang kunt moet je eerst je DIN-waarde bepalen.'

'DIN-waarde?' vroeg Karim met een stem waaruit bleek dat hij er niets van snapte. 'Wat is dat?'

'Een waarde die je nodig hebt om de skibindingen goed af te kunnen stellen. Daar kom je achter aan de hand van vijf dingen: je lichaamsgewicht in kilo's, je lichaamslengte in centimeters, je leeftijd, welke type skiër je bent en de schoenzoollengte van je skischoen in milimeters.'

'Hou op, zeg,' kreunde Karim. 'Het lijkt wel wiskunde. Ik heb er spijt van dat ik het gevraagd heb. Als het zo ingewikkeld is en zo afhankelijk van al die verschillende factoren, dan zou ik er niet verbaasd van zijn wanneer je vader misschien een foutje heeft gemaakt bij het berekenen.'

'Welnee, joh,' zei Fleur en nam nog een slokje thee. 'Mijn vader doet dat al zo lang dat het voor hem echt niet moeilijk is. Daarbij verandert je DIN-waarde eigenlijk nooit meer, tenzij je twintig kilo aankomt of zo. Dus als je skibindingen eenmaal zijn afgesteld, hoef je er bijna nooit meer wat aan te doen. Toevallig had mijn vader vorig jaar nieuwe ski's gekocht en omdat hij toen een ontsteking aan zijn hand had, heeft hij ze door de winkel laten afstellen. Voor de zekerheid heeft hij, voordat hij wegging, zijn oude ski's nog bij ons opgehaald als reserve. Aan beide paren heeft hij niets meer hoeven doen, daarom snap ik het niet. Ik wou dat ik het hem kon vragen.'

'Ach, meid, nog anderhalve week, dan is het vakantie,' zei Claudia en klopte haar op haar arm voordat ze zich weer tegen de arm van Tobias nestelde die net toevallig op haar rugleuning lag. 'Misschien mag je er dan wel heen van je moeder.'

'Ik hoop eigenlijk dat hij dan al zo opgeknapt is dat hij terug mag naar Nederland, dat maakt het meteen wat makkelijker.'

De zoemer ging en automatisch stonden ze allemaal op. 'Nou, misschien hoor je vanavond wel positief nieuws.'

Na de grote pauze bleek de leraar economie ziek naar huis te zijn gegaan en omdat er zo snel geen vervanger te regelen viel, kreeg de hele klas de rest van de middag vrij.

'O, wat heerlijk,' verzuchtte Sophie. 'Bevrijd te kunnen zijn van het onderwijsjuk! Hé, hoe vond je die?' vroeg ze lachend aan Fleur.

'Uitzonderlijk,' grinnikte Fleur.

'Soms sta ik versteld van mijn eigen kunnen,' zei Sophie met een stalen gezicht. 'Maar goed, laten we overgaan tot de orde van de dag. We hebben vrij, daar moeten we van genieten. Ik heb wel zin om de stad in te gaan. Vooral omdat ons favoriete winkeltje, waar wij al aardig wat geld naartoe hebben gebracht, heel veel van hun smaakvolle collectie in de uitverkoop heeft gedaan. Ga je mee?'

Fleur schudde haar hoofd. 'Nee, sorry Sophie, dat wordt een andere keer. Mijn moeder is ziek, dus ik ga liever naar huis.'

'O, ja, natuurlijk. Mocht ik nog iets leuks tegenkomen, dan bel ik je of ik het ook voor jou moet meenemen, oké?'

Fleur knikte en pakte haar fiets uit het rek. 'Veel plezier dan en niet teveel geld uitgeven hè? Zie je morgen.'

Zodra ze de gang binnenstapte en haar jas op de kapstok hing, hoorde ze haar moeders stem. 'Fleur, kun je even komen?'

Gelukkig, mam was blijkbaar aardig opgeknapt, want haar stem kwam vanuit de huiskamer. Snel liep ze daar naar binnen.

'Hoi mam, ben je weer...' Halverwege de zin stopte ze, want haar moeder zag er bleek en ernstig uit. Gerard die naast haar zat, keek ook alsof er iemand dood was. Er moest iets gebeurd zijn.

'Wat is er, mam? Gaat het niet goed met papa?'

Mam schudde haar hoofd. 'Nee, met je vader gaat het

heel goed. Bart heeft zojuist gebeld dat je vader van de intensive care af is en op zaal is geplaatst. Als hij goed herstelt dan mag hij eind deze week overgeplaatst worden naar een ziekenhuis in Nederland. Daar hebben we het later nog wel over. Waar ik het nu over wil hebben, is jouw telefoonrekening.'

Stomverbaasd en van opluchting half lachend, keek Fleur haar moeder aan. 'Mijn telefoonrekening? Wat is daarmee? Jeetje, mam, je keek zo ernstig dat ik verwachtte dat er iets verschrikkelijks aan de hand zou zijn.'

Haar moeders gezicht bleef ernstig en ze schoof haar wat vellen papier toe. 'Ik denk dat dit erg genoeg is.'

Fleur pakte de papieren aan en zag dat het de specificatie van haar telefoonrekening was. Wát? Dat kon toch niet? Meer dan driehonderd euro? 'Dit kan niet, mam. Dit moet een vergissing zijn!'

Haar moeder keek haar strak aan. 'Dat dacht ik ook en daarom heb ik meteen de provider gebeld. Ik heb ruim een half uur met een meneer aan de telefoon gezeten. Fleur, het is geen vergissing. Jij schijnt die nummers te hebben gebeld.'

'Welke nummers?' vroeg Fleur verbaasd en keek nog eens naar de specificatie. 'Ik ken die nummers niet eens.'

'O, Fleur, alsjeblieft! Je staat glashard tegen me te liegen. Volgens die meneer van de provider is er absoluut geen sprake van een misverstand. Al die nummers zijn met jouw telefoon gebeld. Ik heb een aantal van die telefoonnummers gebeld. Het bleken allemaal sexnummers te zijn.'

'Wát? Mám! Doe normaal. Serieus, ik zou toch niet... Je denkt toch zeker niet echt dat... Ik zou toch nooit...'

'Ik weet niet meer wat ik van jou moet denken, Fleur. Zoals ik al zei: bij de provider zeiden ze dat de telefoontjes echt met jouw toestel zijn gemaakt. Waarom bel je in hemelsnaam met sexnummers, Fleur?'

'Mam, doe normaal! Dat doe ik toch niet. Waarom zou ik? Mam, toe nou!'

'Nu begrijp ik ook opeens waarom jij je scherm dichtklikte toen ik binnenkwam,' zei Gerard bedachtzaam. Hij draaide zich om naar haar moeder. 'Weet je nog dat ik een tijdje geleden naar boven ging om Fleur te vragen of ze gezellig samen met ons een film wilde kijken?'

Haar moeder knikte. 'Ja, maar ze wilde niet.'

'Precies,' zei Gerard. 'Ze reageerde heel vreemd en klikte meteen het computerscherm weg. Ik mocht het niet zien. Wie weet wat ze daar aan het bekijken was.'

'Ik zat gewoon op MSN en verder deed ik helemaal niet vreemd, jij deed juist vreemd.'

'Ja, gek, hè, Fleur,' zei Gerard merkwaardig rustig. 'Iedereen zou zich vreemd gedragen als jij zo spastisch doet over een site op de computer. Je klikte die site toch weg, of niet soms?'

'Ja, maar dat was...'

'Hou maar op, Fleur, ga alsjeblieft naar je kamer,' zei haar moeder gelaten terwijl ze Fleur niet aankeek, maar naar haar vingers staarde. 'Ik weet genoeg. Je begrijpt natuurlijk dat je die driehonderd euro terug moet betalen aan mij. Ik weet dat we de afspraak hebben dat ik jouw abonnement zou betalen, maar ik ga niet betalen voor sextelefoontjes. En je begrijpt natuurlijk ook dat ik dit niet zomaar voorbij kan laten gaan. Ik ga nog nadenken over een strafmaatregel.'

'Mam, echt...'

'Ga naar boven, Fleur.'

'Je gelooft...'

'Fleur, ga naar boven!'

'Fleurtje, je kunt nu beter naar je moeder luisteren.' Gerard keek haar recht in haar ogen en even dacht ze een vleugje triomf te zien.

'Jij...'

'Fleur! Nu!'

Haar moeders gezicht zag er zo strakgespannen uit dat het leek alsof iemand haar onverwacht een facelift cadeau had gedaan. En haar stem was hard. Heel hard. Fleur kon niet anders dan zich omdraaien en stampend naar boven gaan, waar ze haar kamerdeur met een klap dichtsmeet. Woedend liet ze zich op haar bed vallen en keek nog een keer op de specificatie. Ze begreep er helemaal niets van. Hoe kon dit? Volgens dit overzicht had ze tientallen keren urenlang zitten bellen met die stomme nummers! De enige met wie ze altijd uren aan de telefoon zat was Sophie en verder...

Wacht eens! Wacht eens even! Natuurlijk! O, wat stom dat ze dat niet meteen doorhad. Ze had het zich niet verbeeld. Hij had echt even triomfantelijk gekeken. Die stomme sukkel... Dat kon niet anders. En...

Ze ging rechtop zitten en elk puzzelstukje viel op zijn plaats.

'Dat gaat lukken!' kwam Sophies stem zelfverzekerd door de telefoon. 'Wacht even, er komt net een scooter aan, ik ga even een rustiger plekje zoeken. O, ik zie het al, ik loop even een zijstraatje in. Ja, hè, hè, nu kan ik je tenminste goed verstaan. Maar wat ik zei, Fleur, was dat het vast gaat lukken. We moeten het alleen maar zien te bewijzen. En dat moet niet al te moeilijk zijn, want het enige moment waarop hij met jouw telefoon kon bellen, was op de momenten dat jij er niet was en je telefoon wel.'

'O, wacht eens even,' zei Fleur opeens opgewonden. 'Wacht, ik pak de specificatie erbij. Ja, zie je wel,' zei ze twee seconden later. 'Al die telefoontjes zijn 's avonds laat of zelfs 's nachts gepleegd.'

'Dat zegt nog niks,' zuchtte Sophie.

'Ha, dat dacht je maar. Wacht even hoor, ik moet nog even iets checken.' Haar hand schoof in haar schooltas en haalde haar agenda eruit. Vlug legde ze die naast de specificatie en vergeleek de daarop genoemde data met haar agenda. Even later kon ze een vreugdekreet niet onderdrukken. 'Yes! Sophie, ik zei het je toch, die man is een sukkel! Echt een grote sukkel!'

'Wát, vertel dan!'

'Alle telefoontjes hebben plaatsgevonden op avonden of nachten dat hij hier bij ons was en ik verplicht werd mijn mobiel in dat stomme kastje te zetten. Soms heeft hij mijn telefoontje zelfs onder mijn kussen vandaan gehaald en vond ik hem 's ochtends beneden in het kastje.'

'Nee, je meent het! Wat een loser!' lachte Sophie. 'Hij moet toch weten dat de datum en de tijd op zo'n specificatie staan? Maarre, hoe ga je dit nu verder met je moeder oplossen?'

'Ik wil alleen maar met haar praten wanneer hij er niet is. Anders heeft het geen enkele zin, ze luistert toch alleen maar naar die kwal. Het liefst wil ik haar hier op mijn eigen kamer laten zien wat ik heb ontdekt. Misschien dat ze me dan gelooft.'

'Nauurlijk gelooft ze je dan,' riep Sophie verontwaardigd. 'Je kunt het nu toch bewijzen?'

'Ik kan alleen maar bewijzen dat er 's avonds of 's nachts gebeld is, dat zegt nog niet al te veel. En ik weet inmiddels hoe hij is. Hij zal er ongetwijfeld weer iets op vinden. Je hebt geen idee hoe vindingrijk die man is.'

'Je zou eigenlijk iets over hem moeten weten. Iets uit zijn verleden of zo.'

Fleur hapte naar adem. 'Sophie, je bent geweldig. Dát is het. En ik weet precies hoe ik aan die informatie moet komen. Wordt vervolgd. Ik bel je nog.'

Ze drukte op het rode knopje van haar telefoon en staarde voor zich uit. Waar woonde die oma van hem ook al weer? Bibi! Bibi wist het juiste adres.

'Bibi, met Fleur. Wil je me even terugbellen?'

Vlug stond ze op, opende haar kamerdeur en leunde over de balustrade. Nee, er was niemand op de trap. Ze hoorde alleen de stemmen van haar moeder en die kwal die nog steeds zaten te discussiëren in de huiskamer. Zacht liep ze terug naar haar kamer, deed de deur dicht en zette haar bureaustoel met de rugleuning onder de deurknop. Precies op tijd. Haar telefoon ging en op het display zag ze dat het Bibi was.

'Ha Bibi, met mij. Het is vandaag een dag met een paars randje voor mij en ik heb even je advies nodig.'

'Vertel, wat is er gebeurd?'

Vijf minuten later had Fleur het hele verhaal uit de doeken gedaan en vroeg ze het juiste adres van Gerards oma.

'En wat ga je nu doen, ga je vandaag nog naar zijn oma?'

'Ja, ik zeg gewoon dat ik zo kwaad ben dat ik even naar buiten moet omdat ik anders dingen ga zeggen waar ik spijt van ga krijgen. De enkele keer dat ik ruzie had met mijn moeder, deed ik dat ook.'

'Goed plan, dat niet eens gelogen is, want als je kwaad bent zeg je vaak ook dingen waar je later spijt van hebt. Maar... wat ga je dan tegen zijn oma zeggen?'

Fleur stokte. 'Tja, goeie vraag. Daar moet ik nog over nadenken.'

'Maak het niet te ingewikkeld,' hoorde ze de rustige stem van Bibi. 'Heb je niet een schoolproject of zo?'

'Jawel,' zei ze aarzelend en dacht aan het project van maatschappelijke vorming. 'We moeten bijvoorbeeld kijken naar de opkomst van de sociale woningbouw van veertig jaar geleden en nu. Wat is er in de tussentijd veranderd, is dit ten goede en...'

'Dat lijkt mij een prima opdracht om te bespreken met die oma,' onderbrak Bibi haar. 'Misschien is het handig wanneer je wat vragen voor jezelf op papier zet?'

'Ja, top! Dat ga ik doen en daarna ga ik meteen op weg.'

'Doe voorzichtig. Zorg dat hij je niet herkent. Doe wat aan je haar, dat is het eerste dat opvalt aan jou. Maak er een knotje of een staart van of zoiets. En mocht je een bril of een zonnebril hebben die hij niet kent, dan zou ik die opzetten. Een bril verandert vaak je hele gezicht en dat samen met een knot of een staart, nou, dan moet het wel lukken. En niet vergeten: Neem een trui of jas met capuchon mee en zet die op wanneer je uit de bus stapt, want je moet natuurlijk niet met de fiets gaan. Die herkent hij altijd. Enne... kijk altijd over je schouder.'

'Doe ik. Bedankt voor je goede raad. Je hoort van me.'

Een kwartier later had ze een aantal vragen op papier gezet en haar rugzak ingepakt. Daarna liep ze met veel lawaai de trap af. Ze smeet haar rugzak onder de kapstok en liep met een boos gezicht de huiskamer in.

'Wat kom je doen?' begon haar moeder met nog steeds een strak gezicht. 'Ik had toch gezegd...'

'Ik wéét wat je gezegd hebt, mam. Maar ik ga niet op mijn kamer zitten voor iets dat ik niet heb gedaan. Ik vind het ongelooflijk dat jij daar blijkbaar anders over denkt, mijn eigen moeder! Maar ja, stom van me om daar nog verbaasd over te zijn. Er is hier de laatste tijd nogal wat veranderd. Dit is niet de eerste keer dat je me niet gelooft.'

'Fleur, volgens mij wil je moeder...' begon Gerard.

'Bemoei je er niet mee!' riep ze opeens woedend. 'Ik praat met mijn moeder en daar heb jij niets mee te maken.'

Haar moeder keek haar aan met diezelfde strakke uitdrukking die niet meer van haar gezicht leek te gaan. 'Je hoeft het niet af te reageren op Gerard.'

'Nee, natuurlijk niet,' lachte Fleur schamper. 'Stel je voor! Kom niet aan Gerard. Gerard is zo geweldig! Maar je bloedeigen dochter? Nee, die kun je niet geloven, die loopt immers naakt in huis te paraderen en belt ondertussen met sexlijnen. Kan het nog gekker? Of je het gelooft of niet, ik heb die nummers níet gebeld! En ik zal je wat vertellen, mam,' zei ze zo rustig mogelijk terwijl ze zich omdraaide om naar de gang te lopen, 'ik ga dit uitzoeken. Tot op de bodem. Ik moet blijkbaar eerst met hard bewijs komen voordat jij, mijn eigen moeder, me gelooft. Dat is wel treurig, hè? Een vreemde geloof je blindelings en je eigen vlees en bloed... Ach, weet je, laat maar.'

Met grote stappen liep ze de gang in, pakte haar rugzak van de grond, griste haar jas van de kapstok en opende de buitendeur. Met veel gevoel voor drama smeet ze daarna de deur zo hard mogelijk dicht.

Hoofdstuk 15

Hoewel ze het diep in haar hart een tikkeltje overdreven vond, maakte ze een heel strakke paardestaart, trok het flesje water uit haar rugzak en sprenkelde wat van het vocht over haar hoofd. Dat stomme haar krulde altijd alle kanten uit. Bibi had gelijk. Haar krullenkop was het eerste dat opviel. Maar nu ze alle onwillige krullen in een paardestaart had gekregen en de rest van haar haren aardig plat om haar hoofd lagen door het water, had ze in ieder geval een minder grote kans op herkenning. Daarna trok ze de trui met capuchon aan en zette nét voordat ze de bus uitstapte een roze zonnebril op haar neus.

Ze keek om zich heen en herkende het café op de hoek, precies zoals Bibi had gezegd. Snel stak ze over en bleef vlak langs de huizen lopen. Af en toe keek ze zo onopvallend mogelijk over haar schouder en probeerde zichzelf gerust te stellen. Waar maakte ze zich nu zo druk om? Gerard zou heus niet bedenken dat zij op het idee gekomen was zijn oma te gaan bezoeken. Sterker nog, hij was er niet eens van op de hoogte dat zij afwist van het bestaan van zijn oma. Een gevoel van opluchting schoot door haar heen. Dat ze daar niet eerder aan had gedacht! Hij wist van niks en zou vanmiddag gewoon bij mam blijven. Zij kon rustig zijn oma bezoeken.

Bijna rennend sloeg ze de laatste hoek om en kwam in de straat waar ze moest zijn. Nummer dertig bleek een klein hoekhuisje te zijn met aan de voorkant een piepklein tuintje dat vol stond met kleurige bloemen. Ze haalde haar mobiel te voorschijn en maakte een foto. Achter de vitrage zag ze iets bewegen en ze deed alsof ze aarzelde voordat ze het paadje opliep naar de voordeur. Haar hand was nog op weg naar de bel toen de voordeur al wagenwijd openging.

'Wat doe jij daar?' vroeg een kleine vrouw met een scherpe, heldere stem waar Fleur van schrok.

'Dag mevrouw,' zei Fleur met een klein stemmetje. 'Ik maakte net een foto van uw huis en realiseerde me dat ik dat eerst aan u had moeten vragen. Het is voor een project op school, mevrouw, en...'

'Nou, dat staat je netjes,' zei de vrouw wat vriendelijker en het kleine, spitse gezicht dat werd omlijst door grijze krulletjes lichtte er wat van op. 'Goed dat je het alsnog vraagt, meisje. Heel beleefd van je, dat zie je tegenwoordig steeds minder, beleefde kinderen. En wat voor een project is dat dan precies en op welke school zit je?'

Oei, daar had ze nog niet over nagedacht. Ze moest er overheen praten, gewoon er overheen praten en zorgen dat ze aan het woord bleef, dan viel het niet zo op.

'Ik zit op de havo, mevrouw. Het is een hartstikke goede school waar we steeds allerlei leuke projecten mogen doen. En nu mogen we voor maatschappelijke vorming een project over sociale woningbouw doen. Op zich hartstikke leuk, natuurlijk, maar ik weet er alleen niet zoveel van, eigenlijk weet ik er helemaal niks van. Enne, eh, daarom ben ik dus hier. U bent de eerste bij wie ik aanbel. Zou ik u daar misschien een paar vragen over mogen stellen en is het ook mogelijk dat ik wat foto's van uw huis kan maken? Daarmee maak je een project natuurlijk een stuk levendiger. Maar eh, als u niet wilt, is het ook goed hoor, dan vraag ik het aan een van uw buren.'

Dat was blijkbaar een gouden zet, want de vrouw stapte opzij en nodigde haar uit binnen te komen. 'Nee, nee, dat is geen goed idee. Ben je mal, die moet je niet lastig vallen. Dat zijn allemaal oude, hulpbehoevende mensen die behoorlijk slecht ter been zijn en sommige worden al een beetje kinds. En ik kan het weten, want ik zorg voor ze. Nee, kom dan maar bij mij. Hoe heet je eigenlijk?'

'Ik, eh, heet Viviënne de la Brie.'

'Zo, zo, chique naam hoor, past wel bij die chique bril van je. Nou, ik ben mevrouw Slicker. Kom binnen, kom, dan gaan we naar de huiskamer,' zei de vrouw bijna dwingend terwijl ze Fleur een zacht zetje in haar rug gaf. 'Ik houd er niet van om in de deuropening te praten. Je weet nooit wie er meeluistert.'

Fleur liep aarzelend het korte gangetje door en zag aan haar rechterhand een deur openstaan.

'Ja, ga daar maar naar binnen,' hoorde ze mevrouw Slicker achter zich zeggen.

Ze stapte een kleine, overvolle huiskamer in en registreerde razendsnel wat er in het kamertje stond. Een bank, twee stoelen, meerdere bijzettafeltjes, planten, snuisterijen, asbakken, breiwerk en stapels handwerktijdschriften. Wat echter het meest opviel en ook de meeste ruimte in beslag nam, was het enorme, donkerhouten dressoir dat de kamer domineerde. Op het glimmende blad van het dressoir stonden naast twee grote, groene planten in Keulse potten, een aantal foto's in ouderwetse, zilveren fotolijstjes en boven het dressoir hing een enorme tekening van een kinderkopje met grote, sprekende ogen en prachtig, krullend haar.

'Mooi, hè,' zei de vrouw die naast haar was komen staan. 'Dat is mijn zoon toen hij nog maar een jaar of drie was. Ach, het was zo'n beeldig jongetje om te zien. Zo jong en onschuldig. Mensen hielden me aan op straat om naar hem te kunnen kijken. En hij was stapeldol op zijn moedertje, vertelde me alles en deed niets zonder mij. Altijd dat kleine handje van hem in de mijne. Ach, waar blijft de tijd. Tja,' snufte ze opeens. 'Alles gaat voorbij. Ga zitten, meid. Wil je een kopje thee?'

'Eh, ja, alstublieft,' zei Fleur voorzichtig terwijl ze de vrouw nakeek toen ze de kamer uitliep. Fleur draaide zich een kwartslag en staarde naar de tekening. Dat moest dus de vader van Gerard zijn. En de oude dame moest er elke dag naar kijken. Gatver, wat erg om daar elke dag mee geconfronteerd te worden. Nou ja, aan de andere kant? Misschien troostte het haar wel. Hoewel? Ze kon zich niet voorstellen dat het verdriet over het verlies van een kind ooit over zou gaan en... Nee, ho, stop. Ze moest er nu over ophouden en gaan zitten. Zometeen kwam die vrouw weer binnen en dan stond het een beetje raar waneer zij nog steeds de tekening aan het bekijken was.

Ze schuifelde voorzichtig langs de overvolle salontafel en ging op de bruingebloemde bank zitten. Naast de bank stond een bijzettafeltje waarop ook weer een foto stond van het kleine jongetje. Je kon wel zien dat het de vader was want Gerard leek er een beetje op, zag Fleur toen ze de foto wat beter bekeek.

'Zo, hier is de thee,' zei de vrouw terwijl ze binnenkwam en twee kopjes waar de damp vanaf kwam, op tafel zette. Daarna ging ze in de fauteuil tegenover de bank zitten. 'En vertel eens Viviënne, wat zijn je vragen?'

Fleur opende haar rugzak en haalde haar blocnote eruit. 'Eh, nou, eh, zoals ik al zei, ik weet van dit onderwerp eigenlijk helemaal niks. Dus ik heb maar alvast wat vragen opgeschreven en, nou, eh, als u het goedvindt, dan ga ik maar gewoon het rijtje af.'

'Prima, kind.'

'Nou, dit is vraag één. Hoe groot is deze woning?'

'Wat bedoel je?'

'Hoeveel vierkante meter?'

'Och, daar vraag je me wat. Tja, dat weet ik niet precies. Ik weet wel hoe groot de kamers zijn. Zo ongeveer dan. Heb je daar wat aan?' vroeg ze en gaf al antwoord voordat Fleur iets kon zeggen. 'De huiskamer is drie bij vier meter vijftig. De grote slaapkamer is drie bij drie en de kleine slaapkamer is twee bij twee meter vijftig. En dan de keuken nog, natuurlijk.'

'Oké,' zei Fleur serieus en schreef alle maten op. 'En van welke woningbouwvereniging is dit huis?'

'Van "Arbeidershuis".'

'O. Eh, wonen er dan alleen maar arbeiders in deze buurt?'

Mevrouw Slicker knikte. 'Zeker in de beginjaren, later werd het minder. Nu wonen er helemaal geen arbeiders meer. Er komen hier steeds meer jonge, hoogopgeleide mensen die de huizen kopen en opknappen.'

'Oké,' knikte Fleur en schreef alles keurig op voordat ze mevrouw Slicker weer aankeek. 'Hoelang woont u in dit huis?'

'O, al eeuwen! Eens even denken. Gert-Jan was nog niet geboren. Ik was nog niet eens zwanger van hem, dus ik schat zo'n jaar of zesendertig.'

'En was u de eerste bewoner?'

'Nee, de eerste bewoners waren een gezin met drie kinderen. Ja,' glimlachte de vrouw opeens. 'Ik zie je wel verbaasd kijken en jij kunt het je nu waarschijnlijk niet meer voorstellen, er zijn hier tenslotte maar twee slaapkamers, maar dat was in die tijd heel gewoon. In de kleine slaapkamer stond een stapelbed en vaak ook nog een gewoon eenpersoons bed. Maar toen er bij dat gezin weer gezinsuitbreiding kwam, hebben die mensen een groter huis gekregen. En dat was ons geluk. Wij mochten opeens deze woning hebben. Ja, daar hadden we eerst niet op gerekend natuurlijk, wie kon weten dat we zoveel geluk zouden hebben?'

'Hoezo, geluk?'

'Wij hadden geen kinderen. En dit was een gezinswoning. We hebben toen fluisterend gezegd dat we heel graag kinderen wilden en dat er binnenkort misschien gezinsuitbreiding zou volgen, maar dat hadden we gewoon verzonnen. We rekenden er inmiddels niet meer op dat we misschien toch nog een kindje zouden krijgen. Het wilde maar niet lukken en ik was inmiddels al zevenendertig. Kijk, kind,' zei mevrouw Slicker en nam een slokje van haar thee, 'vroeger praatte je daar niet zo gemakkelijk over en ik weet zeker dat we allebei een hoogrode kop hadden toen we daar zo stonden. Misschien dat men een beetje medelijden met ons had. Wat het ook geweest mag zijn, het deed er niet toe, wij kregen de woning.'

'En hoe zag de buurt er toen uit, waren het allemaal jonge mensen?'

Mevrouw Slicker knikte enthousiast. 'O ja kind. De buurt was enig, echt geweldig. Iedereen hield zijn eigen stoepje schoon, had zijn tuintje op orde en op mooie zomerdagen zaten we met z'n allen buiten. Ik had natuurlijk altijd het schoonste stoepje, ik had immers geen kinderen om voor te zorgen, dus hielp ik de andere buren met allerlei klusjes. Het was echt een heel gezellige tijd. Allemaal jonge gezinnen, waarvan de mannen ook zo'n beetje allemaal hetzelfde beroep hadden en de vrouwen thuisbleven om voor de kinderen te zorgen. Van emancipatie moesten ze niet veel hebben. Het was een ouderwetse, echte volksbuurt. Of het nu aan de buurt lag of niet, een jaar later was ik in verwachting en werd Gert-Jan geboren. Ja, dat was een prachtige tijd, we waren zielsgelukkig. Nou ja, voor zolang het duurde,' eindigde ze en staarde voor zich uit.

'Hoe bedoelt u?' vroeg Fleur zacht.

'Vier jaar na de geboorte van Gert-Jan overleed mijn man en bleef ik alleen met een klein kind over.'

'O. Jeetje. Wat erg. Eh, sorry, mevrouw,' hakkelde Fleur. 'Dat had ik misschien niet moeten vragen.'

De vrouw wreef over haar voorhoofd en ging rechtop zitten. 'Nee hoor, kind. Dat kon je toch niet weten? En trouwens, het is al honderd jaar geleden en hoe droevig ook, ik heb gelukkig mijn kleine jongen nog.'

Dat zou dan Gerard moeten zijn. Ja, dat moest... Nee... Of... Wacht eens even. Nee, dat kon niet, hij...

'Dat is mijn redding geweest,' ging mevrouw Slicker verder zonder op Fleur te letten. 'Als ik geen kind had gehad, tja, dan weet ik niet wat ik had gedaan.'

'Eh, enne, heeft u nooit een andere man...'

Mevrouw Slicker schudde gedecideerd haar hoofd. 'Ben je mal? Ik was uitstekend in staat om Gert-Jan in mijn eentje op te voeden. Oké, ik was streng, maar dat kan niet anders als je vader en moeder tegelijk moet zijn. En daar is trouwens niets mis mee, zolang je daarnaast ook rechtvaardig bent en dat was ik. Mijn zoon deed altijd keurig wat ik zei. Doet hij trouwens nog. Nee, een andere man? Dan had ik Gert-Jan moeten delen. Nee, ik kón en wilde hem met niemand delen. Ik houd niet van delen.'

Fleur staarde haar aan en hoewel ze wist wat het antwoord zou zijn, ging ze toch verder. 'Maar u moest Gert-Jan toch ook delen wanneer hij naar school ging?'

De vrouw haalde haar schouders op. 'Ja, maar dat was maar tijdelijk, hè?' Opeens stond ze op. 'Je wilde ook wat foto's van het huis nemen?' vroeg ze abrupt en ging bij de kast met de foto's staan. 'Wil je foto's van binnen of van buiten?'

'Als u het goedvindt zou ik ook binnen wat foto's willen maken. Mag ik beginnen met de huiskamer?'

'Ja, natuurlijk,' zij de oude dame en schikte haar grijze haren achter haar oren. 'Wil je mij er ook op?'

Fleurs bloed stroomde opeens heel hard door haar lijf en haar handen trilden. 'Eh, nou, graag, mevrouw.'

Ze schoof de roze bril naar het puntje van haar neus en binnen enkele minuten had ze vier foto's van de huiskamer. Mevrouw Slicker liep meteen met haar door naar de keuken, waar ze ook twee foto's nam.

'En dit is mijn slaapkamer,' zei de oude dame en opende een van de deuren in het smalle gangetje. 'Hier heb je mij niet bij nodig, denk ik.'

Fleur bleef in de deuropening staan, fotografeerde de verrassend lichte slaapkamer en draaide zich om. 'Dan blijft alleen de kleine slaapkamer nog over.'

'Ja, dat is de slaapkamer van mijn zoon,' zei de vrouw en opende de deur die aan haar eigen slaapkamer grensde. Een kleine, ook weer heel lichte kamer waar aan de ene kant een eenpersoons bed stond en aan de andere kant een rieten stoel en een klein boekenkastje. Op het boekenkastje stond een fotolijstje. Aan de muur hingen een aantal posters van voetbalspelers.

'Ik heb er niets aan veranderd,' zei de vrouw en liet haar hand liefkozend over de zachtblauwe dekbedhoes gaan. 'Mijn zoon heeft alleen zijn bureau meegenomen en dat vond ik geen straf. Het was zo'n groot, ouderwets stalen bureau met een enorm ladenblok dat op slot kon. Het was zo groot dat het bijna de hele kamer in beslag nam. Maar mijn zoon was er gek mee, want al zijn geheimpjes kon hij er veilig in opbergen, zonder dat zijn nieuwsgierige moeder er in kon neuzen. Hij wist precies hoe ik in elkaar stak. Niet dat het mij wat uitmaakte. Uiteindelijk vertelde hij me toch altijd wel al zijn geheimpjes. Je gelooft het niet, maar het sleuteltje van dat ladenblok droeg hij altijd bij zich, nou vráág ik je! Toen hij zijn eigen werkplaats kreeg, heeft hij dat bureau meteen opgehaald, maar de rest is hetzelfde gebleven. En dat zal altijd zo blijven.'

Fleur staarde haar aan en vroeg zich of ze het goed gehoord had.

De vrouw keek haar aan en lachte. 'Ja, dat zul jij wel raar vinden. Maar weet je, heel af en toe blijft mijn zoon nog wel eens een nachtje bij me slapen en dan vind ik het fijn wanneer hij in zijn eigen vertrouwde kamer kan logeren.'

'O. U bedoelt met... de feestdagen of zo, blijft hij dan slapen?' vroeg ze voor de zekerheid.

'Nee, dan komt hij gewoon een dagje langs. Blijven slapen doet hij alleen als zijn verkering uit is. Mijn jongen heeft geen geluk in de liefde. Onbegrijpelijk, want hij is echt een jongen om van te houden en ik kan het weten. Daarbij is het een knappe vent en dat zeg ik heus niet omdat het mijn eigen zoon is. Hij heeft het ongeluk elke keer verliefd te worden op vrouwen die veel ouder zijn dan hij. Op dit moment heeft hij ook weer een vrouw met een kind. Dus van de vorige ellende heeft hij niets geleerd.'

'Vorige ellende?'

'Ja, toen had hij ook een vrouwtje met een kind aan de haak geslagen. Een vrouw met een jongetje. Maar ja, dat ging uit natuurlijk, dat wist ik van tevoren. Ik heb het hem zo vaak gezegd, kies toch een alleenstaande vrouw. Zo'n vrouw met een kind heb je nooit alleen. En hij is net als zijn moeder, hij houdt niet van delen. Ik heb hem altijd gezegd daar eerlijk in te zijn, eerlijkheid voor alles. Dus na verloop van tijd gaat zoiets uit en dan komt hij hier. Hoe streng ik ook voor hem ben, hij komt altijd terug naar zijn moedertje. Logisch natuurlijk. Mij hoeft hij niet te delen. Nooit. Wat er ook gebeurt, wat hij ook uitspookt, ik zal er altijd voor hem zijn en dat weet hij. Vertrouwd, hè? Hij hoeft niet eens wat te zeggen, ik zie het aan zijn gezicht wanneer hij binnenkomt. Een snoet van drie dagen storm en onweer en normaal praten kan hij dan niet meer. Snauwen en grauwen. Dan zeg ik hem even waar het op staat, want tegen mij hoeft hij niet te snauwen, dat neem ik niet. Maar verder laat ik hem dan zoveel mogelijk met rust, want dat jong heeft op zo'n moment natuurlijk verdriet. Ik ben gewoon zo stil mogelijk en verzorg zijn natje en zijn droogje. Daarom komt hij altijd bij mij terug. Hij krijgt op zijn falie natuurlijk, maar ik ben de enige die hem echt begrijpt. Daar ben je tenslotte moeder voor. Het duurt meestal één, soms twee of drie nachten voordat hij wat bijtrekt. Niet lang daarna gaat hij dan weer terug naar zijn eigen huis en zie ik hem alleen nog maar op donderdag.'

'Op donderdag?' vroeg Fleur en hoorde dat haar stem oversloeg, zodat ze snel een hoestgeluid maakte.

'Ja, elke donderdag komt hij hier. Hij moet dan wel alle zware boodschappen voor me meenemen, want ik ben ook geen achttien meer. Ik bel hem op woensdag en geef het boodschappenlijstje door. Dat vindt hij niet altijd even leuk, maar hij doet het wel en zo hoort het ook. Ik kook tenslotte elke week zijn lievelingseten. Ik heb hem ook meteen gezegd dat als hij verkering zou krijgen, de donderdag van mij blijft en dat die meisjes dat vanaf het begin moeten weten. Dus met wie hij ook verkering heeft, die vrouwen weten dat de donderdag voor zijn moeder is.'

Fleur slikte. Gerard had dus geen ander! Zijn moeder was degene die steeds belde en waar hij zo geïrriteerd van raakte! Ze knikte en probeerde zo vriendelijk mogelijk te kijken voor ze verder ging. 'En u zei dat hij nu ook weer met een mevrouw met een kind gaat?'

'Ja, een vrouw met een meisje deze keer. Niet dat ik enig idee heb hoe die vrouw of dat kind eruit zien, want geen van zijn vriendinnen heb ik ooit ontmoet. Dat wil ik niet. Tenminste, niet totdat hij zeker weet dat hij de ware heeft gevonden. Ik zou me maar gaan hechten aan die dames en als het dan uitging zou niet alleen hij, maar ik ook nog eens verdriet hebben en daar bedank ik voor. Dus totdat hij de ware gevonden heeft moet ik maar geduld oefenen. Ach, hij is pas vierendertig, dus het komt echt wel een keer. Kijk,' zei de vrouw opeens en liep naar het fotolijstje dat op de kleine boekenkast stond. 'Dit is mijn zoon.'

Zodra ze de foto zag, begreep ze wat "hopen tegen beter weten in" betekende. Ondanks alles wat mevrouw Slicker haar verteld had, hoopte ze toch nog steeds dat ze het niet goed begrepen had. Maar Gerard grijnsde breed op de foto en zijn moeder, snotver, zijn moeder! streelde het glas waarachter de grijnsfoto zat.

'Knappe jongen, hè, mijn Gert-Jan?' vroeg de vrouw trots.

Fleur slikte. 'Eh, zeker. Misschien mag ik nog een laatste foto van u maken terwijl u naast de foto staat?'

Fier stelde de moeder van Gerard zich op naast het boekenkastje en legde haar hand lichtjes op de bovenkant van het fotolijstje. 'Zó?'

'Prima, mevrouw,' zei Fleur en maakte meteen twee foto's achter elkaar. 'Zo, dan zijn we klaar. Mag ik u heel hartelijk bedanken voor uw tijd? Ik zie dat het al laat is, dus ik moet nu echt naar huis, mevrouw. Mijn moeder gaat zich ongerust maken wanneer ik zo laat thuis kom.'

De oude dame keek op haar horloge en leek te schrikken. 'Ach, wat vliegt de tijd, kind. Moet ik je moeder even bellen? Ik kan het haar zo uitleggen hoor. Nee, weet je het zeker? Heb je je rugtas, ja? Kom, dan zal ik je even uitlaten. Moest je buiten nog foto's maken? Zal ik in de deuropening gaan staan?'

Ze nam nog wat foto's van de voor-, achter- en zijkant van het huis en bedankte de vrouw nog een keer. Daarna liep ze zo rustig mogelijk de straat uit, terwijl ze wel had willen rennen of vliegen. Ze wilde enorm graag iets wilds en onstuimigs doen om in ieder geval de adrenaline die door haar lijf gierde een uitweg te bieden. Zodra ze uit het zicht van de oude dame was, begon ze te rennen. Keihard rennen, zonder een enkele gedachte.

Bij de bushalte bleef ze hijgend staan en legde haar hand in haar zij. Een stekende pijn bracht haar terug naar de werkelijkheid.

Oké, ze had nu bewijs dat hij gelogen had. Hij was helemaal geen wees, hij had een moeder. Hij heette geen Gerard, maar Gert-Jan en ging elke donderdag bij zijn behoorlijk levende moeder op bezoek. Maar als ze dit aan haar eigen moeder vertelde, wat schoot ze er dan mee op? Ze zou natuurlijk ook over Bibi kunnen vertellen, maar dan nog had ze niet voldoende aangetoond dat Gerard van alles deed om haar in een slecht daglicht te stellen zodat ze weg zou gaan en hij haar moeder voor zichzelf zou hebben.

De bus kwam eraan en ze stapte in, liep door naar achteren en ging op de achterste bank zitten, helemaal in het hoekje bij het raam. Zodra de bus zich in beweging zette, kwam er iemand naast haar zitten.

'Zelfs door je vermomming heen zie ik dat jij het bent.'

Hoofdstuk 16

Geschrokken draaide ze haar hoofd om en keek in het onder een capuchon verscholen gezicht van Bibi.

Ze stompte hem op zijn arm. 'Wil je dat nooit meer doen? Ik schrok me rot!'

'Sorry,' zei hij en keek berouwvol. 'Hoe is het gegaan?'

De volgende tien minuten was ze ononderbroken aan het woord. Bibi kéék alleen maar. Zijn expressieve gezicht vertoonde het ene moment ongeloof en het volgende moment boosheid, maar hij liet haar helemaal uitpraten.

'Ongelooflijk, hè?' zei Fleur aan het eind van haar monoloog. 'Ik heb zo mijn best moeten doen om niets te laten merken aan die vrouw.'

'Eigenlijk kijk ik er niet eens van op,' zei Bibi en staarde langs haar door het raam naar buiten. 'Die man kan zo ontzettend goed liegen dat iedereen erin zou trappen. Het vervelende is alleen dat je in principe nu nog niets tegen hem hebt. Nee, wacht even,' zei hij toen hij zag dat Fleur haar mond opendeed.

'Ja, oké, je hebt de foto's van zijn ouderlijk huis en van zijn moeder, maar dat is onvoldoende, Fleur. Je kent Gert toch? Hij zal er ongetwijfeld weer een of ander fantastisch verhaal over bedenken en dat aan je moeder vertellen. En je moeder zal hem geloven. Nee, je moet echt een stápel narigheid over hem verzamelen, voordat je moeder je gelooft, hoe vervelend dat ook klinkt. Daarbij heb je nog niet kunnen bewijzen dat hij achter die telefoontjes naar sexlijnen zit. Er zit nog maar één ding op.'

'Wat dan?' vroeg Fleur nieuwsgierig.

'Je zult heel dapper moeten zijn,' zei Bibi en keek haar

ernstig aan. 'Je moet naar zijn werkplaats gaan. Zijn moeder zei toch dat hij alles in dat grote bureau bewaarde? Dat bureau waarvan de lade op slot kon? Daar heeft hij vast wel dingen ingestopt waar jij iets aan hebt.'

'Ik weet niet eens waar zijn werkplaats is! En hoe kom ik daar binnen? Hij laat heus de deur niet voor me open staan.'

'Ik weet waar zijn werkplaats is. En jij... eh, jij zult zijn sleutels moeten stelen.'

'Wát! Je bent niet goed bij je hoofd!'

Bibi keek nog ernstiger. 'Ik wéét hoe eng dit klinkt. Ik weet ook niet of ik het toen gedurfd zou hebben, maar Fleur, het is de enige manier.

'Je bent gek,' zei Fleur en hoopte dat de knikker in een stil en donker hoekje ging liggen. 'Stel je voor dat hij naar de politie gaat.'

Bibi grijnsde opeens. 'Gert naar de politie? Echt niet! Zorg jij er nu maar voor dat je die sleutels te pakken krijgt, dan ga ik wel met je mee naar de werkplaats. Hé,' zei hij opeens opgelucht. 'Ik weet het. Zorg dat hij 's avonds een flinke slok op heeft, dan slaapt hij als een os met een neusprobleem. Hij snurkt dan zo hard dat je het drie straten verder kunt horen.'

'Ja hoor, Bibi,' zei Fleur schamper. 'Alsof ik hem aan de drank kan helpen! Doe normaal, man. Ik schenk toch nooit iets voor hem in?'

'Drinken ze geen wijn bij het eten?' vroeg Bibi verbaasd. 'Dat deed hij bij ons altijd.'

'O. Eh, tja, ik let er nooit zo op, maar nu je het zegt... Ja, ze nemen bijna altijd een glas wijn bij het eten.'

'Zet die fles gewoon op tafel, dan gebeurt het vanzelf.'

'O Bibi,' trilde Fleur opeens omdat de knikker een sprongetje maakte. 'Ik weet echt niet of ik het wel durf. Stel je voor dat hij...'

'Niet aan denken,' zei Bibi en pakte haar hand. 'Ik wou dat ik het zelf vroeger al gedurfd had, maar nu help ik je. Als je er klaar voor bent, bel me dan.'

'En waar kom jij vandaan, jongedame? Het is bijna zes uur!'

Haar moeders gezicht stond nog net zo strak als enkele uren geleden, haar ogen waren roodomrand en haar stem trilde een beetje.

'Ik móest hier even weg, mam. Dat begrijp je toch wel?'

'Ik begrijp helemaal niets meer. Van jou niet. Van Gerard niet. Van mezelf niet. Het lijkt wel alsof er de laatste tijd hier in huis alleen nog maar narigheid gebeurt.'

'En hoe zou dat komen, mam?' vroeg Fleur terwijl ze voorzichtig haar hand op haar moeders arm legde.

'En dat vraag jíj aan je moeder? Hoe dúrf je!' donderde opeens de woedende, harde stem van Gerard over hen heen. 'Als er iemand hier in huis voor onrust en narigheid zorgt, ben jíj het wel!'

Fleur zag haar moeder wit wegtrekken en van het ene op het andere moment, verdween haar angst. Volledig. Ze had er ineens schoon genoeg van. 'Bemoei je er niet mee!' riep ze net zo hard en net zo woedend. 'Ik wil even met mijn moeder praten, zonder dat jij er weer wat over te zeggen hebt. Kom mam,' ze trok haar moeder aan haar arm naar de keuken toe en vreemd genoeg liet mam het toe. Fleur keek over haar schouder en zag dat Gerard achter hen aan wilde komen. Ze gaf haar moeder een zetje verder de keuken in, stapte zelf ook naar binnen en klapte met een harde knal de keukendeur voor zijn gezicht dicht.

Ze duwde haar moeder naar de eettafel. 'Ga zitten, mam.'

Op de eettafel stond een vergiet met een paar afgehaalde spercibonen en de pan die ernaast stond was tot de helft gevuld met geschilde aardappelen. Fleur pakte de pan, zette de kraan aan en schoof de pan onder de straal voordat de aardappelen zielige, gerimpelde gezichtjes zouden worden. Ze draaide zich om naar haar moeder.

'Mam?'

Haar moeder leek in haar eigen wereldje te vertoeven. Ze staarde naar haar vingers waarvan ze de nagels had afgebeten en haar mond vertrok een beetje. 'Ik weet het niet meer, Fleur,' zei ze hees.

Fleur ging tegenover haar zitten, strekte haar arm en legde haar hand op de trillende handen van haar moeder. 'Mam, wát je ook van me denkt, ik bel geen sexlijnen, dat móet je weten. Dat heb ik nog nooit gedaan en dat zal ik ook nooit doen. Waarom zou ik? Dat weet je toch wel? Ik ben je kind, je kent me toch!'

Een traan rolde over haar moeders gezicht en Fleur had de neiging om te gaan schreeuwen. Maar dat kon niet. Mam zou nog harder gaan huilen. Met de grootst mogelijke moeite hield ze zichzelf in, dwong ze zichzelf om rustig te praten. 'Niet huilen, mam. Toe nou. Kijk eens naar jezelf! De laatste tijd huil je om de haverklap, terwijl je vroeger zelden huilde. Sinds wanneer ben jij iemand die haar hoofd laat hangen? Je zit als een zombie op die stoel! Je bent depressief aan het worden en je gelooft mij, je eigen kind niet eens meer. En dat allemaal voor die vent?'

De keukendeur schoot open en Gerard dreunde met grote stappen de keuken in. Hij trok haar moeder van de stoel en aaide even over haar voorhoofd. 'Hier hoef jij niet naar te luisteren, Roosje. Jij hoeft je door niemand de les te laten lezen en al helemaal niet door zo'n eigenwijze snotneus. Met jou ben ik nog niet klaar, jongedame,' eindigde hij terwijl hij mam de keuken uitduwde.

Snotver, de snotver! Waar bemoeide hij zich mee en waarom liet mam dat toe? Alweer! Snel liep ze naar de huiskamer, waar Gerard mam op de bank had gezet en haar net een glas in haar handen duwde.

'Wel ja, maak een alcoholiste van mijn moeder,' zei Fleur verontwaardigd omdat haar opeens heel veel duidelijk werd toen ze de lege fles ónder en de bijna lege fles óp de salontafel zag staan.

'Laat me maar even, Fleurtje,' mompelde haar moeder en keek haar met grote, betraande ogen aan. 'Morgen zal het beter met me gaan, dat beloof ik je. Ga wat te eten maken voor jezelf en ga dan naar je kamer. Heus, dat is beter,' zei ze bijna onverstaanbaar.

'Mám! Zie je dan niet wat hier gebeurt?'

'Alsjeblieft, Fleur, toe nou!'

Het leek erop alsof mam elk moment in snikken kon uitbarsten en Fleur wilde haar het liefst flink door elkaar schudden, maar mams ogen smeekten.

Met een ruk draaide Fleur zich om en liep terug naar de keuken. Weer smeet ze de keukendeur hard achter zich dicht en woedend schopte ze tegen een keukenkastje. O, ze kon hem wel wurgen. Als het niet meer lukte met woorden, gooide hij mam gewoon vol met drank! En mam liet het allemaal maar gebeuren! Waar was haar sterke moeder gebleven?

En nu werd er van haar verwacht dat ze gewoon wat te eten zou maken en naar haar kamer zou gaan. Ja hoor, tuurlijk! Alsof ze ook maar een hap door haar keel zou krijgen. Mam moest zelf wat eten, dan werd ze misschien weer een beetje nuchter. Ja, dat was het. Maar om nu een hele maaltijd te gaan koken? Nee, daar had ze echt geen zin in. Er was ongetwijfeld nog wel wat anders in huis. Ze rukte de voorraadkast open en pakte er een zak tomatensoep en een pak afbakbroodjes uit.

Twintig minuten later liep ze de huiskamer weer in en zette twee dampende soepkommen en vier besmeerde broodjes op de salontafel neer.

'Zo, en alles opeten,' zei ze hard zonder haar moeder of Gerard aan te kijken. Ze draaide zich meteen weer om en liep terug naar de keuken waar ze zelf toch ook maar een kom soep nam. Ze had juist het laatste hapje van een broodje genomen toen Gerard met twee lege soepkommen de keuken inkwam. Zijn ogen waren aardedonker en hij leek dwars door haar heen te kijken. Hij knalde de soepkommen op het aanrecht en tergend langzaam draaide hij zich om naar haar terwijl hij zijn armen achter zich liet leunen op het aanrechtblad. Blijkbaar uiterst geïnteresseerd bekeek hij haar gezicht en ze had de grootst mogelijke moeite om haar ogen ook op hem gericht te houden, maar het moest. Ze zou niet voor hem buigen, die tijd was voorbij. Ze was op de een of andere manier niet meer bang voor hem.

Na wat een eeuwigheid leek, knipperde hij met zijn ogen en ging rechtop staan. 'Ik spreek jou straks nog wel,' zei hij opvallend vriendelijk voordat hij de keuken weer uitliep.

Echt niet! Alsof ze op hem ging zitten wachten! Ze trok haar schoenen uit, nam ze in haar linkerhand en liep op kousenvoetjes naar de gang. Aan de kapstok hing de jas van Gerard. En Gerard zat in de huiskamer bij mam. Druk in gesprek. Zou ze... Durfde ze... Oké, snel dan. Vliegensvlug stak ze haar hand eerst in de ene en toen in de andere zak. Nee, geen sleutels. Wel voelde ze iets anders. Een gat in een van de zakken. Ze wriemelde haar wijsvinger door het gat en voelde iets. Iets kleins. Ze duwde haar duim met kracht door het gat naast haar wijsvinger en bleef ondertussen gespannen de gang in kijken.

Haar wijsvinger en haar duim sloten om twee heel kleine voorwerpen. Ze haalde haar hand uit de jaszak en staarde naar twee kleine rode schroefjes in haar geopende hand.

Haar hart bonsde in haar keel terwijl ze sprakeloos naar de twee rode dingetjes in haar hand bleef kijken. Haar gedachten tuimelden door elkaar. Was dit... Hoe... Hij had... Nee, ze moest naar boven. Nu meteen. Na nog een laatste blik in de lege gang, sloop ze de trap op, opende heel zacht haar kamerdeur en even zacht deed ze hem weer dicht. Ze gooide haar schoenen in een hoek en schoof meteen haar bureaustoel met de rugleuning onder de deurknop. Vervolgens duwde ze met alle kracht die ze had tegen haar bureau. Dat viel nog reuze tegen. Het stomme ding was maar een centimeter in de richting van haar bureaustoel opgeschoven. Dat moest anders. Ze ging met haar rug tegen het andere uiteinde van het bureau staan en duwde haar rug bijna dóór het bureau heen. Ja, hij schoof iets verder. Kreunend bleef ze duwen en duwen totdat haar bureau tergend langzaam bij elke duw iets opschoof en uiteindelijk bijna tegen de stoel aan stond. Hijgend kwam ze overeind en bekeek het eindresultaat. Ja, zo was het goed. Gerard zou niet zomaar kunnen binnenkomen. Dat mocht niet. Dat kon niet. Ze was een idioot geweest om niet in te zien hoe gevaarlijk hij was.

Anderhalf uur later zette ze haar televisie zachter omdat ze gestommel op de trap hoorde. 'Houd je maar vast aan mij, Roosje, dan kan je niets gebeuren.'

Weer een uur later zag ze de klink van haar kamerdeur een beetje naar beneden gaan tot hij op de rugleuning van haar bureaustoel kwam. Ze hield haar adem in en voelde aan de bekende linkerkant van haar hersenhelft een knikker tot leven komen.

Iemand duwde tegen de deur en de stoel schoof een klein stukje de kamer in. De deur was misschien vijf centimeter open en in die vijf centimeter verscheen een stukje voorhoofd, gloeiende ogen, een neus, een mond en een kin. Uit de mond kwam een grommend geluid en de kriebels liepen over haar rug terwijl ze angstvallig het bureau in de gaten hield.

'Denk maar niet dat een gebarricadeerde deur mij zal tegenhouden, klein secreet dat je bent!' siste zijn stem.

De knikker in haar hoofd rolde nu van links naar rechts en veroorzaakte een lichtflits tussen haar ogen. Ze schudde haar hoofd en zag nog net dat Gerard zijn hoofd terugtrok. Even later omklemde zijn hand de deur. Zonder er bij na te denken pakte ze haar schoen en sloeg er zo hard mogelijk mee op zijn vingers. Meteen schoot de hand los en hoorde ze hem vloeken. Vlug duwde ze deur dicht, maar voordat ze de stoel er weer goed onder had kunnen schuiven, ging de deur alweer een beetje open en klonk er een harde dreun waardoor het bureau een paar centimeter de kamer inschoof.

Hij had zijn schouder tegen de deur gezet! Hij mocht echt niet binnenkomen! Als hij nu binnenkwam zou hij haar vermoorden. Wat kon ze... Wat... Ja! Razendsnel greep ze haar rugtas en haalde er een spuitbusje uit dat ze achter haar rug hield terwijl ze de loerende, inktzwarte ogen in de gaten bleef houden.

'Ha, ha, ha!' gromde hij terwijl zijn ogen flitsend door het stukje kamer gingen waar hij zicht op had. 'Ik ben er bijna. Ja, ja, ik krijg je te pakken! Wacht maar tot ik je in mijn handen heb, flirtje!'

Zijn gezicht paste voor de helft in de opening en opeens flitste zo'n oude, maar wel spannende film van haar moeder, The Shining, door haar heen. Zo waanzinnig als Jack Nicholson gekeken had, zo keek Gerard nu ook. Ze slikte. Hij was gek, knettergek. Niet aarzelen nu. In één vloeiende beweging haalde ze het busje achter haar rug vandaan en spoot hem er vol mee in zijn gezicht.

Schreeuwend trok hij zich terug en vliegensvlug duwde ze de deur dicht, schoof de stoel weer stevig onder de deurknop en duwde met een bovenmenselijke kracht het bureau tegen de stoel aan. Ondertussen stond Gerard nog steeds schreeuwend en vloekend op de gang.

'Wat heb je in mijn ogen gespoten? Het brandt als de hel! O, wacht maar, stomme rotgriet, tot ik je te pakken heb. Ik blijf hier desnoods de hele nacht zitten. Je zult er toch een keer uit moeten komen.'

Zwaar hijgend en met een hart dat voelde alsof het net een ongelooflijke prestatie had geleverd, keek ze trillend, maar tevreden naar het busje anti-insectenspray in haar hand.

Een uur later lag de knikker verscholen in een hoekje van haar hersenen en zat Gerard nog achter de deur. Af en toe hoorde ze zijn zware ademhaling en soms hoestte hij. Niet lang daarna hoorde ze hem zachtjes snurken.

Ze werd nu zelf ook wel een beetje moe, maar slapen kon ze niet. Haar hele lichaam stond strakgespannen als voor een hardloopwedstrijd. Maar misschien kon ze even op haar bed gaan liggen. Ja, dat kon toch wel? Als ze haar kleren aanhield en bovenop het dekbed zou gaan liggen, dan sliep ze niet, maar rustte ze toch uit.

Midden in de nacht schoot ze overeind en staarde blind naar de deurklink die zacht op- en neerging. De stoel was iets opgeschoven, maar het bureau stond nog op zijn plek. Ze wreef in haar ogen. Geesoes, was ze toch in slaap gevallen. Nou ja, het leek erop alsof er niets ergs gebeurd was, het bureau stond immers nog op zijn plek. Een prettige bijkomstigheid was dat de knikker haar hersenen blijkbaar niet langer als lekker plekje had ervaren, want er rolde niets meer in haar hoofd. Ze liet haar ogen nog wat wennen aan het donker en zag ineens de vingers die zich om de deur klemden.

Zo behoedzaam als een kat sloop ze haar bed uit tot ze, bijna zonder adem te halen, bij de vingers stond. Ze boog zich voorover, erop lettend dat ze niet uitademde, en in één snelle beweging zette ze haar tanden in de middelvinger. Ze beet. Hard. Gerard schreeuwde. Ook hard.

'Djiezus, Fleur!' riep Sophie en staarde haar verbijsterd aan. 'Die kerel is levensgevaarlijk. Hij heeft gewoon een aanslag op je leven gepleegd! Dat heb je toch zeker wel tegen je moeder verteld?'

'Nee, waarom? Hij zal wel weer een smoes hebben, bijvoorbeeld dat hij de schroefjes in de box heeft gevonden of zo.'

Sophie knikte en smeet haar tas onder de kantinetafel. 'Ja, vast, maar er is ook een kans dat je moeder je wel...'

'Wat?' lachte Fleur schamper. 'Dat ze me gelooft?'

'Ja,' riep Sophie en schudde even aan Fleurs schouders. 'Ze is je moeder.'

'Je zei zelf dat verliefde mensen op die leeftijd niet toerekeningsvatbaar zijn, weet je nog?'

'Ja, dat is wel zo,' gaf Sophie schoorvoetend toe. 'Oké dan. Waarschijnlijk zul je het zonder haar moeten doen. Gelukkig had je hem gisteravond toch mooi te pakken. Hoe ben je uiteindelijk uit je kamer gekomen?'

Fleur glimlachte minachtend. 'Ik hoorde mijn moeder aan hem vragen wat hij in hemelsnaam in de gang deed. En hij maakte er natuurlijk een prachtig verhaal van. Hij zei dat hij het zelf niet meer wist, dat hij veel te veel gedronken had.'

'En je moeder geloofde dat?'

'Ja,' knikte Fleur en nam een slokje thee. 'Deze keer kon me dat niet zoveel schelen, ze zorgde er in ieder geval voor dat hij ging douchen en daarna ging hij naar zijn werk. Toen heb ik mijn kamer weer in de oude staat teruggebracht, mijn schoolspullen gepakt en ben ik naar beneden gegaan.'

'En wat zei je moeder?'

'Niets, ze was in de badkamer en dat vond ik eigenlijk wel best. Ik heb wat te drinken gepakt en ben ook de deur uitgegaan. Ik weet niet eens of ik wel de goeie boeken bij me heb. Wat hebben we vandaag?'

Sophie keek even op haar horloge voordat ze antwoord gaf. 'Maak je daar nu maar geen zorgen over, je zit naast mij dus alles wat je niet hebt, heb ik wel. Maar luister eens, je gaat toch niet echt die sleutels van Gerard pikken?'

'Ik moet wel. Heb jij een beter idee?'

'Fleur, die vent is gestoord! Stel je voor dat hij er achter komt!'

'Gebeurt niet,' zei Fleur met een zelfverzekerheid die ze niet voelde. 'Ik kijk echt wel uit.'

'Ja, dat zal gerust,' zei Sophie en keek haar ernstig aan. 'Ik vind het doodeng. Kan ik je niet ompraten?'

'Nee.'

'Ga je het meteen vanavond doen?'

Fleur schudde haar hoofd. 'Nee, hij is er nooit op donderdag, weet je nog?'

'O, dat komt goed uit,' riep Sophie. 'Dan ben je even alleen met je moeder. Vertel haar dan in ieder geval van je fiets.'

Weer schudde Fleur haar hoofd. 'Nee. Ik móét gewoon eerst naar die werkplaats van hem. Wie weet wat ik daar tegenkom. Ik heb elk extra bewijs dat die vent niet in orde is, hard nodig.'

Sophie legde even haar hand op Fleurs arm. 'Je bent er niet van af te brengen, hè?'

Fleur slikte de opeens opgekomen dot in haar keel weg en schudde haar hoofd.

Sophie trok met haar voet de rugtas onder de tafel naar zich toe voordat ze Fleur weer aankeek. 'Hé, het komt wel weer goed, hoor. Niemand kan tussen jou en je moeder komen, al lijkt het nu even wel zo. Ze is gewoon van slag door alles. En wie zou dat niet zijn na alles wat er bij jullie gebeurd is? Zoals ik al eerder zei: niet toerekeningsvatbaar. Jouw moeder is daar het levende voorbeeld van. Dus je mag niet eens heel erg kwaad op haar zijn, ze kan er niets aan doen.'

Fleur keek haar vriendin glimlachend aan. 'Jij bent niet verkeerd, weet je dat?'

Voordat Sophie antwoord kon geven, ging de bel. Ze stompte Fleur vriendschappelijk op haar schouder. 'Ja, ja, ik weet het. Ik ben o zo geweldig. Kom op, anders komen we nog te laat.'

Zodra ze de buitendeur opendeed en naar binnen stapte hoorde ze haar moeders stem.

'Nee, dat is prima hoor. Dan neemt ze vrijdag meteen na school de trein, oké? Nou, eh, wens hem beterschap hè? Dág.'

Snel liep Fleur naar de huiskamer. 'Was dat nieuws over papa?'

Haar moeder knikte en keek haar lang aan voordat ze verder ging. 'Je vader wordt morgenochtend naar Nederland vervoerd, vertelde je oma net. Ik heb met haar afgesproken dat jij morgen vanuit school meteen doorgaat naar Maastricht. Ze komt je ophalen van de trein.'

Fleur zweeg en gluurde vanonder haar wimpers naar haar moeders gezicht. Mam zag er goed uit. Veel beter dan de laatste paar dagen. Helder. 'O. Eh, nou, dat is wel goed, denk ik.'

Haar moeder stond op en liep in een kwiek tempo naar de keuken. Fleur liep er meteen achteraan. Het was toch echt al een tijdje geleden dat mam er zo resoluut had uitgezien.

'Mam?' vroeg ze aarzelend.

Haar moeder pakte net een paprika en een courgette uit de koelkast en legde die op een snijplank op het aanrecht. Zonder zich naar Fleur om te draaien zei ze: 'Ja, gezien de omstandigheden hier in huis is het voor iedereen wel even goed om een time-out te nemen. Als ik jou was zou ik maar vast beginnen met je tas in te pakken, want daar heb je morgen geen tijd meer voor. Je trein gaat om zeven over vier. Het is een intercity, je komt aan om vier over half zeven en zoals ik al zei, zal je oma je dan op het perron staan op te wachten.'

Mams stem was niet onvriendelijk, dat niet. Het leek meer... Ja, dat was het. Het leek wel alsof ze met iemand van haar werk in gesprek was, een klant. Dan sprak ze altijd zo netjes. Zo beleefd en zakelijk. Ja, dat was het. En dat ze haar niet aankeek. Ze keek de hele tijd naar de groenten die ze stond klein te snijden op de snijplank.

'Mam?' vroeg ze nog een keer, nu wat harder.

'Zorg dat je die trein niet mist.' Mams hand met het grote snijmes ging nog steeds als een volleerde kok flitsend op- en neer. De courgette en paprika waren nog nooit zo fijn gesneden.

Hoofdstuk 17

Mam was ook vanochtend weer zo vreemd aardig en beleefd geweest, niet alleen tegen haar maar zelfs tegen Gerard die duidelijk niet wist hoe hij daar mee om moest gaan. Hij had mam steeds aangekeken en een paar keer gevraagd of er iets was. Maar mam bleef afstandelijk en rustig. Er was niets aan de hand. Ze leek opeens weer een stuk meer op de oude mam. De oude mam die altijd rustig en beheerst bleef, ook wanneer ze boos was.

Gerard had zijn schouders opgehaald en was zonder afscheidskus naar zijn werk gegaan. Net goed. Gisteravond was mam vast ook heel afstandelijk geweest, want Gerard was duidelijk niet zichzelf. Hij had haar niet eens met een nachtelijk bezoekje vereerd. Gelukkig. En mam had haar vanochtend in ieder geval wel een kus gegeven toen ze de deur uitging.

Fleur legde haar hoofd tegen het raam en besloot maar even niet meer aan thuis te denken. Straks zag ze haar vader! Hoe zou het met hem zijn? Bart had niet meer gebeld, dus wist ze nog steeds niet hoe haar vader dat skiongeluk had kunnen krijgen. Het enige wat haar te binnen schoot, waren de nieuwe ski's. Die had pap laten afstellen in de winkel. En daar moest het fout zijn gegaan. Pap kende zichzelf en zijn skistijl als geen ander en waarschijnlijk zou hij de ski's zelf anders hebben afgesteld. Dat moest het zijn.

In de verte zag ze het station liggen en ze pakte vast haar jas en haar rugzak. Vijf minuten later stapte ze uit de trein en keek om zich heen.

'Fleurtje! Fleur! Joehoe, hier!'

'Oma!' riep ze hard en voelde een idioot brede glimlach

op haar gezicht doorbreken toen ze uitbundig zwaaide naar de oudere dame met het witte haar aan het eind van het perron.

Voor ze het wist lagen er twee warme armen om haar heen en werden haar wangen overdekt met omakusjes. 'Dag m'n lieve, lieve kind. Wat fijn dat je er bent. Ging het goed in de trein? Laat me eens naar je kijken, ik heb je zo gemist. Wat ben je alweer gegroeid. Volgens mij word je net zo lang als je vader. Enfin, voor nu even genoeg gekletst. Kom, lief-je, kom, dan gaan we gauw.'

Rozig van tevredenheid liep Fleur achter haar oma aan. 'Waar is opa?'

Haar oma draaide zich om en glimlachte. 'Hij staat op ons te wachten met een draaiende motor zodat we jou snel nog naar het avondbezoekuur kunnen brengen. Wij zijn zelf vanmiddag al bij je vader op bezoek geweest.'

Ze schrok toch een beetje toen ze haar vader in het zie-kenhuisbed zag liggen. Hij had zijn ogen dicht en zijn been zat inderdaad in een stellage en werd ook nog eens door een soort ketting omhoog gehouden. 'Pap, slaap je?' fluisterde ze.

'Nee hoor, meid,' zei haar vader met een schorre stem en opende zijn ogen. 'Ik lag al op je te wachten. Kom eens hier, lieverd.'

Hij stak zijn armen uit en voorzichtig gleed ze in zijn om-helzing. 'Je bent nog wel heel erg wit in je gezicht. Doet al dat ijzerwerk pijn, pap?'

'Welnee, het valt best mee. Maar vertel eens, hoe is het met je?'

'Ja, daar trap ik niet in, pap! Ik ben hier voor jou, hoor. Vertel jij maar liever hoe het met jou is.'

'O, echt stukken beter, meisje.'

'Gelukkig, toen ik daarnet binnenkwam, schrok ik me rot van dat stellagewerk. Maar , pap, waar heb jij eigenlijk je nieuwe ski's gekocht?'

'Hoezo?' vroeg haar vader met één opgetrokken wenk-brauw.

'Omdat die sukkels waarschijnlijk jouw bindingen niet goed hebben afgesteld. Anders was jij nooit gevallen. Jij valt nooit, pap!'

'Schatje, het ligt niet aan die mensen, het...'

'Natuurlijk ligt het wel aan die lui. Wanneer jij zelf je nieuwe ski's had kunnen afstellen, was dit nooit gebeurd.'

Haar vader pakte een kastje dat binnen handbereik lag, drukte op een knopje en langzaam ging de rug van het bed iets omhoog. 'Zo, dat is beter,' zei haar vader toen hij wat rechterop zat en haar beter aan kon kijken. 'Fleur, ik ben niet gevallen met mijn nieuwe ski's.'

'Wat?'

'Ik ben gevallen met mijn reserveski's.'

Ze voelde dat haar mond openging om iets te zeggen, maar de woorden stokten in haar keel. Een hevige flits schoot flikkerend tussen haar ogen heen en weer en vanuit het niets was de knikker weer terug. De knikker rolde in een bloedtempo meedogenloos van links naar rechts en van voor naar achter.

'Fleur? Fleur, zeg nou iets!'

Wazig staarde ze naar het bleke gezicht van haar vader. Hij keek verbaasd en een beetje bezorgd.

'Fleur? Wat is er toch, meisje?'

Zijn hand lag op haar arm en ze registreerde het wel, maar vreemd genoeg voelde ze niets. Ze schudde met haar hoofd en wilde meteen dat ze dat niet gedaan had. De knikker leek te stuiteren. 'Ik was gewoon geschrokken, pap,' zei ze en hoorde hoe toonloos haar stem klonk.

'Ja, dat zie ik, meisje. Maar lieverd, je hoeft je nu geen zorgen meer te maken. Het gaat goed met me. Echt.'

Ze slikte en even leek het flikkerende flitsen minder te worden. Ze slikte nog eens. Kom op, Fleur. Je moet je beheersen. Pap mocht niets merken. Hij lag ziek te zijn in het ziekenhuis. Wat schoot hij ermee op om te weten dat zij, zonder bewijs, dacht dat Gerard... Nee, niet verder denken. Vrolijk zijn. Schuif het op naar later. 'Oké, pap, ik geloof je.'

'Vertel me nu maar eens hoe het op school gaat. En is je moeder weer beter?'

De trein raasde door het groene landschap. Normaal genoot ze er nog wel van om naar buiten te kijken, maar nu keek ze alleen maar bij zichzelf naar binnen. Was ze in staat iets ergs te doen? Iets illegaals? Iets waarvan ze nooit had gedacht dat ze er ook maar aan zou dénken? Want wie denkt aan zulke dingen? Ze kende maar één persoon die blijkbaar aan dat soort dingen dacht. Zij móest nu wel op zijn lijn gaan zitten. Hoe kon ze anders een manier vinden om Gerard aan te pakken?

Ze schudde haar hoofd. Ze moest er goed en lang over nadenken. Niet impulsief handelen. Rustig. Weloverwogen. Nuchter. Alles zou er voor moeten wijken. Alles. Want hem te grazen nemen was nu prioriteit nummer één.

Ze draaide haar gezicht in de panden van haar opgehangen jasje en onderdrukte een kreun. Het was blijkbaar niet genoeg geweest om aan haar fiets te prutsen. Nee, dat plannetje was mislukt. En daarom had hij...

Ze drukte haar gezicht nog wat dieper in haar jas en probeerde geen aandacht aan haar brandende ogen te schenken. Pap had er gewoon niet meer kunnen zijn. Ploep, zó het ravijn in. Ieder ander zou een doodsmak gemaakt hebben, maar pap was zo'n ervaren en technische skiër dat hij zichzelf de andere kant op had gegooid. Volkomen tegennatuurlijk, had hij gezegd, maar het was wel zijn redding geweest.

Ze haalde diep adem en ging rechtop zitten. Nu was het afgelopen. Het eerste wat ze ging doen was zijn sleutels stelen. Ze zou ervoor zorgen dat hij er niets van merkte.

De trein verliet het groene landschap en kwam in stedelijke bebouwing. Nog even en ze was er. Dan ging ze naar huis. Ze keek op haar horloge. Bijna half acht. Dan zou ze om acht uur thuis zijn en kon ze zonder argwaan van mam of Gerard om half tien naar bed gaan. Mam zou dat zeker niet raar vinden. Mam wist dat ze bijna altijd moe was als ze bij pap vandaan kwam omdat ze daar standaard veel te laat naar bed ging. En mam wist ook wel dat het bij oma niet anders zou zijn. Vanaf half tien zou het wachten beginnen. Ze zou geduld moeten hebben. Voor elf uur gingen ze nooit naar bed en dan zou ze nog minstens een uur moeten wachten.

Ze pakte haar telefoon, stond op en ging op het verbindingsplateau tussen twee wagons staan. Bij dit soort gesprekken had ze geen getuigen nodig.

'Bibi, vannacht zal de hemel paarsgekleurd zijn. Ik doe het om half vijf. Ben je er dan?'

Even later rinkelde haar mobiel.

'Ik zal tot half zes op je wachten. Ik sta op de hoek van jouw straat.'

'Hoe was het met je vader?'

Haar moeders stem klonk weer normaal. Heel normaal. Echt belangstellend. 'Nou, best wel goed eigenlijk,' zei ze aarzelend en keek even over haar schouder.

'Gerard is er niet,' zei haar moeder die dat blijkbaar had gezien. 'Hij is naar het tankstation om zijn auto te wassen en te tanken. Ik verwacht hem pas over een uurtje.'

'Gaat het weer een beetje met je, mam?'

Haar moeder knikte en glimlachte. 'We hebben urenlang heel veel gepraat zonder ruzie of tranen voor de verandering. Uiteindelijk bleek Gerard het toch met me eens te zijn dat die vreemde telefoonrekening van jou een fout moet zijn van de belmaatschappij. Ik ga ze morgen nog een keer bellen en het kan me niet schelen wat er uit dat gesprek komt, want ik weet het zeker. Jij belt geen sexlijnen.'

Een grote warme golf stroomde door haar lijf en als vanzelf pakte ze haar moeders handen. 'O, mam, ik ben zó blij dat je me gelooft. Ik heb ze écht niet gebeld.'

'Nee,' zei haar moeder. 'Toen ik weer een beetje helder kon denken, wist ik dat ook wel. Ik begrijp niet wat er de laatste tijd met me aan de hand was. Ik had echt beter moeten weten. Het spijt me, Fleur.'

'Het geeft niet, mam. Je gelooft me nú tenminste.' Zou mam nu ook al het andere geloven? Zou ze het er gewoon uitgooien? Nu meteen?

Mams hand streelde haar hoofd. 'Kom, dan gaan we een kop thee maken en wil je wat eten?'

Nee, ze durfde niet. Ze kon het niet. Ze wist zeker dat de sfeer meteen weer verpest zou zijn. En het was ook wel eens lekker om thuis eindelijk zonder een misselijkmakend gevoel zin te hebben in eten. Want opeens rommelde het in haar maag. 'Ja,' lachte ze opgelucht. 'Lekker, ik heb om vier uur bij oma nog een kommetje soep gegeten, maar ik lust wel weer wat.'

Ze had juist de laatste hap van haar diepvriespizza in haar mond toen Gerard de keuken binnenstapte. 'Ha, Fleur,' zei hij vriendelijk. 'Heb je het leuk gehad?'

Ze keek op en bestudeerde zijn gezicht heel nauwkeurig. Zo zag iemand er dus uit die tot twee keer toe...

'Fleur?' vroeg hij, keek haar niet-begrijpend aan en besloot toen nog een keer te glimlachen. 'Hoor je me wel?'

'Ja, Gerard, ik hoor je wel,' zei ze rustig en bleef zijn gezicht bestuderen. 'Het is nooit "leuk" om op bezoek te gaan in het ziekenhuis, maar het was in ieder geval fijn mijn vader weer te zien.' Ze stond op en liep naar de gang. 'Mam, als je het niet erg vindt, ga ik even douchen, mijn tas uitpakken en naar bed.'

'Natuurlijk niet, lieverd,' zei haar moeder. 'Ga maar lekker douchen.'

Ze keek nog even vlug over haar schouder want ze vóelde gewoon de donkere blik van Gerard. Hij stond nog steeds met een glimlach op zijn gezicht naar haar te kijken. Zijn ogen deden niet mee, die waren ijskoud en gitzwart. Ze glimlachte even ijskoud terug.

De maan gaf zoveel licht dat een van haar stralen helder door een kier van het gordijn kwam en net genoeg licht gaf om de sleutels op het kleine tafeltje te zien liggen. Op handen en knieën sloop ze de slaapkamer van haar moeder in, haar blik onafgebroken op de twee bobbels in het bed. Vlak voor het tafeltje wende ze haar blik af, kwam overeind en legde haar hand, bijna gewichtloos, op de sleutelbos. Eén voor één kromde ze haar vingers om de sleutels, totdat de bos volledig door haar hand bedekt was. Haar vingertoppen bogen heel behoedzaam onder de sleutels en even later kon ze haar met sleutels gevulde hand geluidloos optillen. Even zacht als op de heenweg, kroop ze de slaapkamer weer uit. Beneden gekomen, pakte ze haar jas van de kapstok, stapte in de laarzen die ze al had klaargezet en opende met haar eigen sleutel de buitendeur. Ze haalde diep adem en rende op haar tenen de trap af en de straat uit.

'Hé,' hoorde ze zodra ze de hoek omkwam.

'Hé,' zei ze opgelucht toen ze Bibi met zijn fiets aan de hand zag staan.

'Spring maar achterop.'

Twintig minuten later hield hij halt bij een grote, grijze deur die nog het meest weghad van een garagedeur die naar boven omhoog open zou kunnen. Bibi zette zijn fiets aan de overkant van de straat en wandelde op zijn gemak terug. 'Hier is het,' zei hij zacht en wees naar de grijze deur. 'Oorspronkelijk was het een garage, vandaar die roldeur, maar Gert heeft er ook een gewone deur in gemaakt, zie je wel?' zei hij en wees naar een deur in de grote deur die haar nog niet eens was opgevallen. 'Ik denk dat ik wel weet welke sleutel hierop past,' ging hij verder. 'Geef mij die sleutelbos en blijf jij op de uitkijk. Als er mensen aankomen moet je mij meteen omdraaien, je armen om me heen slaan en me zoenen.'

'Wát?' vroeg ze verbouwereerd.

'We mogen niet opvallen en niemand let op verliefde stelletjes.'

'O. Eh, goed, oké.'

Binnen twee minuten had Bibi de kleine deur open. Hij pakte haar bij haar arm en trok haar snel naar binnen waarna hij meteen de deur weer dicht deed. 'We kunnen geen licht maken,' zei hij in het pikkedonker. 'Het valt meteen op als er licht onder de deur schijnt, maar ik heb een zaklantaarn bij me.'

'Wat goed van jou,' zei Fleur opgelucht. 'Daar had ik niet aan gedacht. Nou, waar staat dat bureau?'

De zaklantaarn scheen zoekend door de ruimte en bleef hangen op een groot, metalen bureau dat tegen de achterwand was geplaatst. Snel liepen ze erheen en Bibi rommelde net zo lang met de sleutels tot hij de bovenste lade kon openen. Voordat ze haar hand erin kon steken, hield Bibi haar tegen. 'Nee, Fleur, wacht! Eerst kijken hoe alles erin ligt. Hij mag niet merken dat er iemand in zijn spullen heeft gezeten.'

'Jeetje,' zei Fleur een beetje ademloos. 'Ik ga jou opeens in een heel ander daglicht zien. Ben je inbreker van je beroep?'

Hij glimlachte. 'Welnee, joh. Ik heb gewoon veel detectives gelezen. Maar serieus, Fleur,' ging hij ernstig verder. 'We mogen geen sporen achterlaten. Wacht, ik zet de zaklantaarn rechtop op het bureau, dan schijnt het licht naar boven en hebben we er allebei iets aan.'

Fleur boog zich over de bureaulade en meteen bovenop zag ze een folder die haar de adem benam. 'Kijk, Bibi,' zei ze en haalde voorzichtig het foldertje uit de lade. 'Dit is een folder over het afstellen van skibindingen.'

'Het is van de firma Elan,' knikte Bibi. 'Maar dat zegt natuurlijk nog niks.'

'Nee,' zei Fleur schor. 'Maar hier staan wel allemaal foto's die je precies vertellen hoe je stap voor stap een skibinding kunt afstellen en dat heeft die schoft met de ski's van mijn vader gedaan.'

Bibi legde zijn hand even op haar arm. 'Maar het in bezit hebben van deze folder is geen bewijs, Fleur.' Hij trok de onderste en grootste lade open en slaakte een grimmige kreet toen hij een laptop tevoorschijn haalde. 'Maar wie weet wat we hierop vinden. Ik probeer dit ding aan de praat te krijgen, zoek jij ondertussen voorzichtig verder.'

Fleur haalde diep adem en slikte de prop in haar keel weg. Bibi had gelijk, de folder bewees helemaal niks. Ze móest nog wat vinden anders was deze hele hachelijke onderneming voor niets geweest.

Vlug gingen haar handen door wat losse vellen papier, folders, verdwaalde paperclips, kapotte pennen, een bijna haarloze kwast, een rolletje plakband en opeens had ze een ansichtkaart in haar handen.

Dag mijn lieve jongen, het is hier geweldig mooi. Dank je wel dat jij je oude moedertje even een paar dagen op vakantie hebt gestuurd. Jammer dat je zelf niet mee kon. Donderdag zal ik iets heel speciaals voor je koken. Dikke kus, mama.

Waarschijnlijk kon ze ook niets met deze kaart, maar ze legde hem toch apart. Voorzichtig taste haar hand achter in de lade. Ze voelde iets duns en glads. Heel voorzichtig trok ze het eruit en staarde naar een foto van Gerard en zijn moeder op het trappetje van een rondvaartboot. Ze draaide de foto om en haar adem stokte in haar keel.

Mama en ik op dinsdag 25 augustus tijdens een tripje met een rondvaartboot.

'Kijk, daar wordt een mens nu blij van,' zei ze grimmig en liet de foto aan Bibi zien.

Bibi knikte. 'Ja, maar...'

Voordat hij verder kon gaan draaide ze de foto om. Bibi zweeg en een glimlach verlichtte zijn gezicht. 'Ja, daar worden wij blij van. Ligt er nog meer?'

'Ik weet het niet. Ik ga zo verder zoeken. Heb jij al wat?' vroeg ze met haar blik op de laptop.

'Die sukkel heeft niet eens een wachtwoord op zijn laptop, ik kom er zo in. Hier, wacht eens, hij heeft gemaild met dat Elanbedrijf. O,' zei hij even later, 'hoe goed is jouw Engels?'

Ze boog over zijn schouder en las het mailtje. 'Wat een ellendeling,' zei ze woedend. 'Hij vraagt hoe hij zijn eigen bindingen moet afstellen omdat hij geen vertrouwen heeft in zijn leverancier en kijk,' zei ze en wees naar een regel in de tekst. 'Hij zegt dat hij een uitstekende skiër is met al jaren ervaring en hij geeft zijn maten op. Maar dat zijn helemaal zijn maten niet. Hij heeft geen schoenmaat vijfenveertig en hij weegt ook geen vijfennegentig kilo. Maar mijn vader wel en mijn vader is degene met jarenlange ervaring! Gerard heeft nog nooit op ski's gestaan!'

'Ik dacht al dat het zoiets was. Kijk, het is nog steeds geen bewijs, maar ik forward het mailtje naar jou.'

'Dat ziet hij toch meteen zodra hij zijn mail opent?'

'Nee, ik verwijder het verzonden bericht en markeer het oorspronkelijke bericht als "gelezen", precies zoals het er nu staat. Maak je geen zorgen, ik laat geen sporen achter. Als we meer van dit soort dingen vinden, dan wordt het voor hem steeds moeilijker zich hier uit te kletsen. Wat is je e-mailadres?'

Fleur hoorde haar stem bibberen toen ze haar e-mailadres zei en draaide zich om naar het ladeblok. Haar hand verdween weer helemaal achterin, maar er lag niets meer.

'Ik heb nog een mail aan een fietsenmaker,' hoorde ze Bibi's stem. 'Heb je daar iets aan? Gerard vraagt hier of het kwaad kan wanneer er twee schroefjes uit het plaatje onder het zadel zijn gehaald en in het antwoord staat dat zoiets gevaarlijk is, dat je dan met zadel en al kan vallen met alle gevolgen van dien.'

Fleur knikte. 'Ja, daar heb ik wel iets aan, zeker wanneer je bedenkt dat ik ook de twee rode schroefjes heb.'

Uit de laden kwamen verder geen verrassingen meer en Fleur richtte haar blik op het bureaublad waarop enkele kranten lagen. De tweede krant die ze pakte, lag open bij een van de advertentiepagina's. Een pagina waarop diverse advertenties waren omcirkeld. Advertenties voor telefoonsex.

Twintig minuten later hadden ze het hele bureau en de laptop grondig doorzocht en besloten ze bijna alles weer keurig terug te leggen. Bijna alles. De ansichtkaart, de krant en de foto van Gerard en zijn moeder nam ze mee.

Bibi keek op zijn horloge. 'We moeten opschieten, Fleur. Het is half zes. Hoe laat staat Gerard op?'

'Om half zeven, maar ik moet natuurlijk die sleutels nog terugleggen, dus laten we inderdaad maar gaan.'

Ze hoorde zijn gekreun en bukte nog dieper. Haar kin lag bijna tussen haar handen op de vloer en met een dreunende hartslag in haar keel bleef ze roerloos zitten. Gerard draaide zich om en even later klonk weer zijn diepe ademhaling. Heel behoedzaam kroop ze naar het tafeltje. Haar hand die de sleutels stevig omklemd hield, zweefde even boven het tafeloppervlak alvorens daar geluidloos op te landen. Eén voor één haalde ze haar vingers van de bos terwijl haar blik onafgebroken op het bed gericht bleef. Na wat een eeuwigheid leek, was haar hand vrij en zich dwingend om rustig aan te doen, kroop ze langzaam weer de kamer uit. Op de gang ging ze staan en liep op haar tenen terug naar haar eigen kamer. Zacht sloot ze de deur, schoof de bureaustoel onder de klink, trok haar kleren uit en haar nachtpon aan en liet zich met een diepe zucht op haar bed vallen. Morgen zou het haar dag zijn. Gerard zou niet weten wat hem overkwam.

Hoofdstuk 18

'Moet je ook nog oppassen vanavond?' vroeg Sophie terwijl ze samen na school naar haar huis fietsten.

'Nee, de buurvrouw is ziek. Vervelend voor haar, maar mij komt het wel goed uit. Als ik dat er ook nog had bijgehad!'

'Kun je niet beter wachten tot je moeder ook thuis is?'

'Nee,' zei Fleur vastberaden. 'Zodra mijn moeder erbij is gaat hij prachtige smoezen verzinnen. Ik heb veel meer kans op de waarheid wanneer ik alleen met hem ben.'

'Ja, maar luister nou eens even, beste vriendin van me. Ik maak geen grapje, Fleur,' zei Sophie dringend en legde even haar hand op het stuur van Fleur. 'Die man is levensgevaarlijk! Kijk eens naar wat hij al geprobeerd heeft! Ik denk niet dat jij je realiseert wat die vent jou kan aandoen op het moment dat je alleen met hem bent.'

Fleur lachte grimmig. 'Ik weet heel goed wat hij me kan aandoen en toch is dit de enige manier. Ik print zometeen bij jou thuis die mailtjes uit, scan de foto en dan ga ik naar huis om hem ermee te confronteren.'

'Ga dan in ieder geval in de keuken zitten, die grenst aan de galerij en het bovenraampje in jullie keuken staat altijd open. Ik blijf dan in de buurt. En zodra ik hoor dat hij aanstalten maakt om jou een kopje kleiner te maken, geef ik een enorme ram op het raam.'

'Dat kan echt niet, Sophie!' zei Fleur geschrokken. 'Stel je voor dat hij je ziet.'

'Welnee, wat denk je zelf? Ik ben heus niet op mijn achterhoofd gevallen en ik zorg er echt wel voor dat ik voor niemand zichtbaar ben. Ik blijf gewoon in het trappenhuis.'

'O,' aarzelde Fleur omdat ze het stiekem toch wel een wat veiliger idee vond. 'Weet je het zeker?'

'Tuurlijk! Kom, zet je fiets maar in de tuin,' zei Sophie terwijl ze afstapte en het tuinhek openduwde. 'Dan lopen we meteen door naar boven om die mailtjes uit te printen.'

Een uur later zette Fleur haar fiets in de box, gluurde en zwaaide nog even naar Sophie die haar fiets op de hoek van de straat had laten staan en zelf verdekt stond opgesteld in het trappenhuis. Zodra ze iemand zou horen aankomen, zou ze nog een verdieping hoger gaan staan.

Met trillende handen opende Fleur de voordeur, hing haar jas aan de kapstok en ging aan de keukentafel zitten. Diep ademhalen, Fleur, zo werd het niks natuurlijk. Stel je voor dat ze hem hyperventilerend zat op te wachten! Nee, ze móest rustiger worden. Hoe laat was het? Een blik op haar horloge vertelde dat het inmiddels bijna vier uur was, dus die fijne vent kon elk moment thuiskomen. Eh, zou ze de foto's en de mailtjes alvast uitspreiden over de keukentafel? Of... Nee, ze kon ze beter één voor één tevoorschijn halen en hem op elke foto en elk mailtje laten reageren. Als hij de foto's van zijn moeders huis en zijn moeder zag... Het kon natuurlijk....

Ze verschoot van kleur en slikte toen ze de sleutel in de voordeur hoorde, gevolgd door voetstappen. Zware voetstappen.

'Gerard?' Het leek de stem van een vreemde, zo koel en afstandelijk klonk ze.

Hij stak zijn hoofd om de keukendeur en een vettige glimlach verscheen op zijn gezicht. 'Dat is nog eens een verrassing. Wat fijn dat je me zit op te wachten.'

Fleur schoof haar stoel naar achteren en ging staan. Voor de zekerheid legde ze haar handen op de tafel. 'Ik wil je wat vragen.'

'Natuurlijk, liefje. Jij mag mij altijd van alles vragen, maarre... heb je een momentje? Kijk eens hoe ik eruit zie, ik zit nog onder de verf. Ik ga eerst die werkkleding uitdoen en dan spring ik even vlug onder de douche. Daarna, mijn allerliefste kind, kom ik gezellig bij je zitten.' Hij draaide zich om en wilde de keuken uitlopen, aarzelde en keek nog even over zijn schouder. 'Ik voel me helemaal gevleid, mijn kleine flirt.'

Gatver, de gatver. Wat was het toch een vieze glibber. Nou, hij ging nog wat meemaken. Ze stond op en liep naar het aanrecht waar ze de waterkoker pakte. Thee, dat was nu maar het beste. Bezig blijven. En zorgen dat ze rustig bleef. Ook al zou het zeker nog een kwartier duren voor hij weer beneden was.

Terwijl het water werd gekookt, liep ze naar het keukenraam, maar Sophie had zich goed verdekt opgesteld, ze zag haar nergens. Ze liep terug naar het aanrecht, pakte de theepot en hing er een theezakje in. Even later goot ze er het gekookte water op en ging weer aan de tafel zitten.

Wonder boven wonder hoorde ze hem echter na tien minuten alweer van de trap afkomen en even later stond hij grijnzend in de keuken.

'Zo, vertel eens, kleine meid, wat is er aan de hand? Wacht, ik kom lekker bij je zitten. Ik pak even een biertje.'

Met het gevoel alsof ze er niet helemaal bij was, keek ze hoe hij een flesje bier uit de koelkast haalde en met nog steeds dezelfde vieze grijns op zijn gezicht vlak bij haar aan tafel ging zitten.

'Nou, schatje van me, wat is er aan de hand?'

Fleur pakte haar mobiel, selecteerde een foto en typte het nummer van Gerard in. 'Ik stuur je even een paar foto's.'

'Een paar nog wel! Van wat?' vroeg hij en ze voelde dat hij naar haar keek.

Stug bleef ze foto's selecteren en doorsturen zonder haar hoofd op te liften. 'Kijk nou maar.'

Van onder haar wimpers zag ze hem zijn mobiel pakken. Zijn gezicht betrok en werd zo donker als een ijskoude nacht in december. 'Hoe kom je hieraan?' gromde hij woedend en pakte haar pols zodat ze wel op móest kijken.

'Eh, ik ben bij je moeder op bezoek geweest. Ik was nogal verrast dat jij een moeder bleek te hebben die nog leefde. Het verhaal dat je hier aan tafel vertelde was zeker bedoeld om emoties los te maken bij mijn moeder en mij? Zodat wij en dan met name ik het goed zouden vinden dat je hier kwam wonen?'

De hand die haar pols vasthad, zette kracht en even dacht ze dat hij haar pols zou breken. Zijn andere hand kwam plotseling omhoog en greep haar kin. 'Wat wil je hier nou mee, klein rotkreng?'

Fleur rukte zowel haar pols als haar kin los en schoof haar stoel naar achteren. 'Ten eerste dat je van me afblijft en ten tweede dat je me wat antwoorden geeft, want je bent er nog niet. Ik heb nog meer verrassingen voor je.' Ze stak haar hand in haar rugzak en pakte blindelings de kopie van de advertentiepagina van de krant die ze met de rug naar boven op tafel legde.

'En wat mag dit dan weer voorstellen?' vroeg Gerard woedend. 'Gaan we een spelletje doen?'

'Nee,' zei Fleur kortaf. 'Ik ben niet zo goed in spelletjes. Maar jij wel. Jij bent er een absolute ster in.' Langzaam draaide ze het papier om en bleef naar hem kijken.

'Wat moet dit betekenen?' vroeg hij quasi-nonchalant terwijl hij het flesje bier aan zijn lippen zette.

'Ik dacht dat jij me dat wel kon vertellen,' zei Fleur zo rustig mogelijk.

'Zo, dacht jij dat,' siste hij en zijn gezicht had al het aantrekkelijke waar Sophie het over had, verloren. 'Wel godv...'

'We gaan toch niet vloeken, hè Gerard?'

'Hou je bek, jij!' schreeuwde hij opeens en maaide in één beweging alles van de tafel af.

Fleur sprong overeind. 'Je bent gewoon een vuile leugenaar, jij! Al die prachtige verhalen over de dood van je ouders, dat je nog nooit een langdurige relatie hebt gehad en dat je zo graag deel wilde uitmaken van een gezin, allemaal gelogen. En alsof dat nog niet erg genoeg was deins je ook niet terug voor zogenaamde ongelukken. Ongelukken waar mensen zomaar dood aan kunnen gaan.'

'Wát?' brulde hij en sprong ook op. 'Je bent niet goed bij je hoofd jij, klein secreet dat je bent. Ik, ik luister gewoon niet meer naar je.'

Hij stormde met grote stappen de keuken uit en ze hoorde hem de huiskamerdeur dichtsmijten. Ze voelde de adrenaline door haar lijf gieren en stormde achter hem aan.

'Als je denkt dat je er zo gemakkelijk van afkomt, Gerard, of moet ik Geert zeggen? O nee, je moeder zei dat je zelfs een dubbele naam had. Gert-Jan. Ik ben benieuwd wat mijn moeder daarvan vindt.'

Met drie grote stappen stond hij voor haar en zijn handen lagen binnen een seconde om haar nek. 'Als jij denkt...'

Zijn handen knepen zo hard dat ze even dacht te zullen stikken, maar ze trok haar knie keihard omhoog en raakte hem precies op de goede plek. Kreunend en met zijn handen beschermend voor zijn kruis strompelde hij naar de bank.

Fleur rende naar de keuken, griste haar rugtas van de grond en pakte op de terugweg het grote vleesmes en de houten vleeshamer mee. Het vleesmes deed ze in de rugtas en de hamer hield ze in haar hand. In de huiskamer smeet ze de rugtas op de salontafel.

'Zoals ik al zei,' hijgde ze, 'je bent er nog niet. Ik heb meer dan genoeg bewijs om aan te tonen dat jij niet alleen een leugenaar bent, maar dat je ook niet bang bent om eventueel een moord te plegen.' Ze graaide in de rugtas en haalde de mailtjes eruit. 'Hier,' zei ze en duwde hem een vel papier onder zijn neus. 'Hier vraag je of het kwaad kan wat schroefjes te verwijderen onder een zadel. Míjn zadel! Door puur geluk is er niets gebeurd en heeft de conciërge mijn fiets weer gemaakt, maar jíj bent degene die er de schroeven heeft uitgehaald.'

'O ja? Hoe kom je erbij, stom kind? Kun je al die stoere

praatjes bewijzen? Ik dacht het niet, hè? Ik had al tegen je moeder gezegd, dat je soms niet helemaal bij de wereld bent, maar nu weet ik het zeker. Je bent gek, stapelgek,' schreeuwde Gerard met zijn handen nog steeds voor zijn kruis.

'O ja?' vroeg Fleur en voelde de kwaadheid weer bezit van haar nemen. 'En dit dan?' Ze stak haar hand in haar broekzak en haalde er de twee rode schroefjes uit. 'Die zaten in jouw jaszak.'

'Ja, dat is lekker makkelijk. Bewijs het maar, klein rotkreng! Iedereen kan wel zeggen dat ze iets in mijn jaszak hebben gevonden.'

'O, maar we zijn er nog steeds niet,' grimaste Fleur en stak weer een hand in haar rugtas. 'Kijk eens wat ik op jouw bureau heb gevonden, enne, het staat ook nog op de foto, dus mocht je plotseling de neiging krijgen om het te verscheuren, dan mag dat hoor.' Triomfantelijk hield ze de beschrijving van skibindingen omhoog en een uitdraai van het mailtje over skibindingen.

Opeens glimlachte Gerard en ging merkwaardig rustig rechtop zitten. 'Tja, dat is allemaal heel mooi, maar het bewijst nog steeds helemaal niks.'

'Dat kan jij nu wel vinden, maar wat denk je dat mama ervan zal vinden?' vroeg Fleur en trok als laatste de originele krantenpagina uit haar rugtas. 'Denk je dat wanneer ik haar vertel waar ik deze krant gevonden heb, ze jou nog zal geloven? Ik dacht het niet, jongen!'

Gerard lachte overdreven hard. 'En jij denkt dat jouw moedertje jou zó van het ene op het andere moment zou geloven? Schatje, geloof me maar, je kunt het echt niet van me winnen. Nooit.'

Voordat ze wist wat er gebeurde was hij, zo snel als een roofdier, van de bank gekomen en had hij in één moeite door haar armen te pakken die hij meteen op haar rug draaide. 'Je bent wel erg dom, hoor. Oké, ik moet toegeven, in eerste instantie bracht je me even van mijn stuk, maar dat duurde echt maar twee minuten. Wat heb je nou helemaal over mij? Allemaal leuke fotootjes, mailtjes en een stukje krant. O ja, nu ben ik echt heel bang geworden. Weet je wat het is, Fleur?' zei hij akelig rustig, terwijl hij met één hand haar beide polsen in bedwang hield, 'jij hebt niet willen luisteren. Hoe vaak heb ik je gezegd dat je van mij niet kunt winnen? Je kunt niet zeggen dat ik je niet gewaarschuwd heb. Vaak genoeg. En toch ging je maar door. Terwijl je weet wat ik heb gezegd. Nooit, maar dan ook nooit zul je van mij kunnen winnen. Wat je ook zult beweren, je moeder luistert naar mij, niet naar jou. Ik kan haar van alles vertellen over jou en...'

'Vuile rotzak! Je hebt hetzelfde met je vorige vriendin gedaan, je hebt haar helemaal stapelgek gemaakt, maar dat zal je hier niet lukken, ik vertel alles tegen...'

Zijn grote hand lag opeens over haar mond en toen hij haar een kwartslag draaide, zag ze zijn glinsterende, duistere ogen. Ze wilde niet bang zijn, maar de blik in die angstaanjagende ogen maakte dat haar hart een slag oversloeg.

'Hoe ben je daar achtergekomen, klein rotkreng? Niet dat het er wat toedoet. Denk je dat ik zomaar toelaat dat jij al deze dingetjes tegen je moeder zegt? Je bent heel erg naïef, hoor. Nee, jij komt echt niet tussen je moeder en mij, daar heb ik wel voor gezorgd. Het duurt nog zeker een uur voordat jouw geliefde moedertje thuiskomt, dus die tijd ga ik natuurlijk gebruiken om jou kwijt te raken, dat begrijp je vast wel?' grinnikte hij terwijl hij met een touwtje dat hij uit zijn broekzak had gehaald haar polsen aan elkaar bond.

'Au! Je doet me pijn! Ik haat je, stomme rotzak,' gilde Fleur. Ze wist dat ze lichamelijk geen kans had tegen hem, maar misschien zou Sophie haar geschreeuw horen. 'Ik haat je echt. Ik zou je wel wat aan kunnen doen. Wacht maar jongen, jij weet niet wat ik nog in petto heb voor jou. Ik pak je terug op jouw eigen manier. Voordat deze dag om is...'

'Laat haar los!' schalde opeens een keiharde, schelle stem door de kamer.

Van schrik liet Gerard haar meteen los en Fleur draaide

zich met een ruk om, terwijl het touwtje op de grond viel. In de deuropening stond haar moeder met een van woede vertrokken gezicht.

'Jij hoeft niets te doen, Fleur, dat doe ik wel. Ik heb hier al tien minuten lang de meest afschuwelijke dingen bedacht die jou pijn zouden doen, vuile rat,' zei mam en liep langzaam op Gerard toe. Vlak voor hem haalde ze uit en gaf hem een kaakslag die hem door de knieën deed zakken.

'Ik sta hier al die tijd te luisteren en ik kan niet geloven dat ik zo blind ben geweest. Stekeblind. Door jouw schuld.' Mam was zo woest dat ze hem, terwijl hij op de grond lag, nog een trap tegen zijn benen gaf voordat ze haar armen om Fleur heen sloeg.

'Het spijt me zo, Fleur. Het spijt me zo ontzettend van alles.'

Fleur kon niets zeggen, haar tong leek wel verlamd, maar dankbaar leunde ze even tegen haar moeder aan voordat ze weer rechtop ging staan om Gerard in de gaten te houden.

'Ga jij naar boven, lieverd, ik handel dit af,' zei mam en duwde haar bijna resoluut in de richting van de trap.

'Ja, maar, hij is gevaarlijk, mam. Echt gevaarlijk, hij heeft papa...'

'Ik weet het lieverd, ik heb alles van Sophie gehoord. Zij heeft me gebeld en stond me op te wachten. Ik heb haar tien minuten geleden naar huis gestuurd en... En waar denk jij naar toe te gaan, held op sokken?' riep mam opeens en greep Gerard bij zijn arm. 'Ik heb nog wel het een en ander met jou te bespreken, dus zitten, jij!'

Mam wilde hem een keiharde duw geven, maar hij zag haar arm aankomen en in één vloeiende beweging trok hij haar arm met zich mee en stond hij schuin achter haar. Met zijn andere hand omklemde hij haar keel. 'Waag het niet,' brulde hij naar Fleur die op hem afsprong met de houten vleeshamer in haar hand. 'Eén stap in mijn richting en je moeder is er geweest. En denk maar niet dat ik bluf,' zei hij en kneep wat harder in haar moeders keel.

Het gezicht van haar moeder werd rood en ze gorgelde wat. Schijnbaar gelaten liet Fleur haar hoofd hangen.

'Mooi zo,' hoorde ze Gerard tevreden zeggen. 'Gooi nu heel voorzichtig die hamer naar me toe.'

Vanonder haar wimpers bepaalde ze waar hij stond. 'Oké,' zei ze zacht en gooide toen uit alle macht de hamer zijn kant uit.

Hij brulde en liet haar moeder los. Onmiddellijk schoot Fleur op haar rugtas af en haalde het mes eruit.

'Nee, Fleur,' riep haar moeder die meteen naast haar stond. 'Geef hier.'

Zodra haar moeder het mes in handen had, stond ze weer naast Gerard die op de grond was gaan zitten. 'Roos, alsjeblieft,' zei hij zielig. 'Ik weet niet wat me bezielde, het spijt me. Echt. Het spijt me verschrikkelijk. Je moet me geloven. Ik zou jou toch nooit iets kunnen aandoen.'

Mams stem klonk ijskoud 'Ga jij maar naar boven, Fleur. Ik heb alles onder controle. Eindelijk. Ik zorg ervoor dat hij je nooit meer iets kan doen. Alles komt in orde.'

Met tegenzin liep ze naar de gang en keek nog een keer woedend naar Gerard die zijn meest bedroefde gezicht had opgezet en langzaam naar de bank schoof. Mam hield al zijn bewegingen in de gaten. 'Ga naar boven, Fleur. Nu.'

Boven liet ze haar kamerdeur open zodat ze het gesprek beneden redelijk kon volgen.

'Roosje, echt, ik weet niet wat Fleur mankeert, ze heeft natuurlijk altijd al prachtige verhalen kunnen ophangen, maar...'

'Hou je leugenachtige mond!' Mam gilde! 'Als jij ook maar voor één minuut denkt dat ik jou ooit nog zal geloven, dan ben je nog veel gekker dan ik op dit moment al denk.'

'Roos! Echt, ik...'

'Hou op! Ik wil niets, maar dan ook niets meer van je horen. Jij bent niets anders dan op z'n minst een smerige leugenaar en dan druk ik me nog zacht uit. Mijn huis uit! Nu!'

'Roos, wacht. Wacht nou even. Haal dat mes weg. Heus, ik doe je niets. Ik wil alleen mijn spullen. Ik mag mijn spullen toch wel meenemen?'

'Tien minuten. Meer krijg je niet. Pak die rotspullen en verdwijn. En dan heb je nog geluk. Ik kan je ook aangeven bij de politie voor poging tot moord. Want dan kun jij wel denken dat Fleur onvoldoende bewijs heeft verzameld, maar ik weet zeker dat de politie daar anders over zal denken. Dus ik zou maar opschieten als ik jou was. Ik wil je nooit meer zien of horen, heb je dat goed begrepen?'

'Roosje, echt, we komen er wel uit, het is...'

'Gerard! Je hebt nu nog negen minuten, dus ik zou maar haast maken. Als die minuten verstreken zijn, sta jij buiten, mét of zónder je spullen. Schiet op. Nú!'

Ze hoorde zijn voetstappen. Snel deed ze haar deur op een kier en met een wild kloppend hart hoorde ze hem naar boven komen. Hij zou toch niet...

Hij stond zelf misschien ook wel te twijfelen wat hij ging doen, want het duurde even voordat ze hem weer hoorde. Snotver! Hij kwam naar haar toe!

'Kom er eens uit, flirtje,' fluisterde hij. 'Wil je geen afscheid nemen van die enge, gevaarlijke man?' Hij lachte keihard en dat verschrikkelijke geluid dreunde door de gang.

'Gerard! Wegwezen daar! Je spullen kun je vergeten, je gaat er nu uit, nu!'

Mam stond op de trap, dat kon ze horen en Gerard kon het zien, want ze hoorde hem meteen weglopen.

'Ik ben echt in vijf minuten klaar, lieve Roos,' hoorde ze hem roepen alsof er niets aan de hand was.

'Je hebt geen vijf minuten meer, Gerard. Je vertrekt! Nu!'

'Hou je bek, wijf! Stel je niet aan, ik kan niet heksen.' Ze hoorde hem tegen de kastdeur schoppen terwijl hij onafgebroken bleef vloeken.

'Ik ga vast naar beneden om de deur voor je open te doen. Als je niet binnen een minuut beneden bent, kom ik je eigenhandig halen.' Mams voeten dreunden de trap af en het gevloek van Gerard nam toe. Eindelijk hoorde ze hoe hij een rits dichttrok. Hij smeet de kastdeuren dicht en dreunde de gang op. Ze luisterde ingespannen en... Snotver, de snotver, wat was dat? Een doffe dreun, een schreeuw, tijdens die schreeuw gebonk en daarna een smak die door het hele huis dreunde, gevolgd door doodse stilte.

Ze vloog haar kamer uit, rende de gang over en bleef boven aan de trap abrupt staan. Onder aan de trap lag Gerard in een vreemde houding tegen de muur geplakt. Zijn hoofd bloedde, zijn nek lag in een vreemde stand om over zijn benen nog maar te zwijgen en zijn ogen waren dicht. Hij zou toch niet... Verwezen staarde ze naar haar moeder die er als een wit marmeren standbeeld stilletjes naast stond.

Langzaam liep ze naar beneden. 'Wat... Is hij...'

Haar moeder rukte haar blik los van Gerard en staarde haar aan. 'Hij is bewusteloos. We mogen hem niet aanraken.' Haar stem brak en even vloog er iets van wanhoop over haar strakke gezicht. 'O, Fleur, wat moeten we doen?' fluisterde ze en staarde langs de trap naar boven. Opeens zag ze blijkbaar iets en vloog de trap op. Haar handen gingen rukkend en plukkend langs de beide zijposten van de balustrade en met haar mouw wreef ze als een waanzinnige over de beide vlakken. Daarna liet ze zich snikkend op een van de treden zakken en Fleur wilde al naar boven lopen.

'Nee,' riep haar moeder paniekerig. 'Blijf daar, Fleur. Ik kom eraan.' Mam wreef over haar gezicht en stond op. Strompelend kwam ze de trap af en pas toen ze beneden was, zag Fleur dat ze iets in haar handen had. Een paar stukjes draad. Heel dun ijzerdraad. Nee, dat kon toch... De combinatie ijzerdraad en mam klopte niet. Dat paste niet. Maar... Had mam hem teruggepakt op zijn eigen manier? Iets wat zijzelf had willen doen. Iets wat ze ook had aangekondigd. Ze zou hem heus niet van de trap hebben laten vallen, maar... Nee. Mam zou dat nooit kunnen. Dat was onmogelijk. Dat kon ze niet. Wanneer had ze dat moeten doen? Dat kon alleen maar toen Gerard zijn spullen aan het inpakken was. Dan had ze maar twee minuten gehad. Maar hoeveel tijd had je nodig om een draadje te spannen. Twee minuten? Ja, dat kon. Maar toch niet... haar lieve zachte moeder? Mam die de laatste paar weken nog maar een schim van zichzelf was geweest. Die eigenlijk pas sinds een paar dagen weer de resolute mam van vroeger was. Nee, mam zou nooit...

Ze staarde haar moeder aan. Mam was spierwit en ze had bedroefde ogen. Keek ze schuldig? 'O, mamsie,' fluisterde ze.

Haar moeder trok haar tegen zich aan. 'Het geeft niet, Fleur. We komen er wel uit. Er kan je niets gebeuren. Ik regel het wel. Eh, we gaan, nee... Ik ruim dit op en bel een ambulance. Ja. Ik zal met hem mee moeten naar ziekenhuis, anders kan het er verdacht uitzien. En jij, eh, ja. Zoek jij ondertussen het telefoonnummer van zijn moeder op dan kan ik haar bellen wanneer we in het ziekenhuis zijn.'

Verstomd en niet in staat zich te bewegen, keek ze haar moeder na die met vlugge stappen naar het toilet liep, daar de stukjes draad in de wc-pot liet vallen om vervolgens alles weg te spoelen.

Mam draaide zich om en zag haar nog steeds stokstijf staan. 'Schiet op, Fleur, zoek het telefoonnummer van die vrouw. Het telefoonboek ligt naast de televisie.'

Hoe kon mam zo koel blijven? Net nadat ze... Nee, nee, nee! Het was natuurlijk zelfbescherming. En bescherming van haar kind, daarom had ze dat gedaan. Toch? Maar ze leek er helemaal niet van ondersteboven te zijn. Ze deed zo afstandelijk, zo zakelijk. Alsof ze een robot was. Hoor toch eens hoe kalm ze aan de telefoon het woord deed! Ze vertelde heel rustig, alsof het niets bijzonders was, dat haar vriend van de trap gevallen was. Dat hij hulp nodig had. Of ze meteen konden komen. Zonder blikken of blozen. Zonder schaamte.

Langzaam liep ze de huiskamer in, pakte het telefoonboek en zocht het telefoonnummer van mevrouw Slicker op.

'Heb je het nummer? Geef maar. De ambulance kan er binnen tien minuten zijn. Het lijkt me beter wanneer jij naar je kamer gaat en daar ook blijft als de ambulancemedewerkers er zijn. Als ze jou niet zien, dan kunnen ze je ook niets vragen. Ja. Ja. O, wacht.' Vlug pakte haar moeder de weekendtas die op de gang lag en rende ermee naar boven. Fleur hoorde hoe ze de kledingkast opende, de tas erin smeet en de deur op slot deed voordat ze weer naar beneden rende.

'Zo, dat kan ook geen vragen oproepen. Ben ik niets vergeten?'

Verbijsterd staarde Fleur haar aan. Wat gebeurde er allemaal?

'Fleurtje!' Haar moeder had haar bij haar schouders gepakt en schudde haar door elkaar. 'Niet instorten. Niet nu. Ik probeer uit alle macht rechtop te blijven staan. Instorten kan ik er echt niet bij hebben. Kom op. Je moet echt even een flinke meid zijn. Later heb je alle tijd voor tranen. Ga naar boven, ga op je bed liggen. Heus, het komt allemaal wel weer goed.'

Hoofdstuk 19

Hoe lang ze op haar bed lag, wist ze niet meer. Hoe laat was het toen ze naar boven ging? Het was al een lange tijd geleden dat ze de ambulancemedewerkers beneden had gehoord. Mam was niet naar boven gekomen om haar gedag te zeggen toen ze met hen meeging. Nee, natuurlijk niet. Dan hadden die mensen meteen geweten dat zij thuis was. Stom dat ze helemaal niet op de tijd had gelet.

Het beeldscherm van haar telefoon lichtte op en ze zag dat het Sophie was. Voor de vierde keer. Gelukkig had mam eraan gedacht dat ze haar telefoon op "stil" moest zetten, want stel je voor dat ze gebeld werd terwijl die ambulancemensen er waren. Hoe kon mam in tijden van nood zo helder zijn? Wie dacht daar nu aan?

Wat moest ze met Sophie? Ze kon niet opnemen. Dat kon ze echt nog niet. Wat moest ze zeggen? Mijn moeder heeft Gerard van de trap laten vallen? Nee, natuurlijk niet. Ze zou heel kalm en rustig moeten zeggen dat Gerard "gewoon" van de trap was gevallen. Net zoals haar moeder had gedaan toen ze de ambulance belde. Maar ze kende Sophie, die zou het merken dat ze iets verzweeg. Sophie zou doorvragen tot ze alles wist. Maar dit mocht ze niet weten. Echt niet! Niemand mocht dit weten. Maar ze kon haar beste vriendin toch ook niet... Sophie had haar juist geholpen, ze had mam gebeld en was al die tijd braaf op de buitentrap blijven staan.

Ze ging rechtop zitten, duwde een kussen tussen haar rug en de muur en besloot een berichtje te sturen. Gewoon een simpel berichtje dat Gerard van de trap was gevallen en nu in het ziekenhuis lag. Ja, dat zou ze doen en ze zou het ook meteen naar Bibi sturen want die had ook al twee keer gebeld.

Gerard is van de trap gevallen, ligt nu in het ziekenhuis. Ik bel je nog.

Ze moest in slaap gevallen zijn. Versuft keek ze naar de stofdeeltjes die dansten in het laatste strookje buitenlicht. Dan was het in ieder geval nog niet heel erg laat. Ze wierp een blik op haar horloge. Half acht. Ze zou iets moeten eten, maar alleen de gedachte al aan iets in haar mond stoppen zorgde ervoor dat ze bijna kokhalsde. Nee, vanavond even geen eten. Hoe zou het met mam zijn? Ze moest inmiddels al uren in het ziekenhuis zijn. Zó lang hoefde het toch niet te duren? Gerard was met een ambulance gekomen, dus ze zouden hem heus niet in de wachtkamer plaatsen. Misschien moest hij wel geopereerd worden. En zat haar moeder daar nu helemaal in haar eentje te wachten tot hij uit de operatiekamer kwam. Dat moest het zijn. Daarom had ze natuurlijk ook nog niet gebeld. In het ziekenhuis mocht je sowieso niet bellen, maar dan was mam echt wel even naar buiten gelopen. Nee, ze had nog niet gebeld omdat er nog niets te melden viel.

Ze rolde het bed uit en liep naar de badkamer waar ze schrok van haar eigen spiegelbeeld. Ze zag eruit alsof ze drie dagen niet gegeten en geslapen had! Ze waste haar gezicht boven de wastafel en wreef daarna ruw met de handdoek over haar wangen. Nu zou ze naar beneden gaan en een potje thee zetten. Het kon gewoon niet anders dan dat mam binnen een uur weer thuis zou zijn.

Twee uur later zette ze de televisie uit en probeerde geen gehoor te geven aan het keiharde pompen van haar hart. Wat gebeurde er allemaal in dat stomme ziekenhuis? Waarom was mam nu nóg niet thuis, het was verdorie bijna tien uur! Gerard zou toch niet... Hij ging toch niet echt dood? Nu, op dit moment? Stel je voor dat hij op sterven lag, dan ging mam heus niet bij hem weg. Of stel je voor...

Ze hoorde de sleutel in het slot en een gevoel van opluchting schoot door haar heen. en Ze rende de gang in op het moment dat de deur openging. Mam slofte binnen. Haar gezicht was nog steeds heel wit, maar daarnaast was het ook helemaal opgezwollen alsof ze uren had gehuild.

'Mam?'

Haar moeder keek op en haar ogen stroomden over van de pijn en de vermoeidheid. 'Hé, meisje,' zei ze traag.

Fleur sloeg een arm om de schouders van haar moeder en trok haar zachtjes mee de huiskamer in, waar ze haar op de bank zette. Mam liet het allemaal gelaten over zich heen komen en zakte onderuit. Twee seconden later zat ze weer rechtop, zette haar ellebogen op haar knieën en liet haar hoofd steunen in de kom van haar handen. Geluidloos drupten er tranen door haar vingers en niet lang na de eerste traan schokten haar schouders.

Fleur ging voor haar moeder op de grond zitten en streelde zwijgend de natte handen. Nog nooit had ze haar moeder zo in- en in-verdrietig zien huilen en haar maag kneep samen.

Na een paar minuten richtte haar moeder zich op, zocht in haar broekzak naar een tissue en snoot haar neus. 'Is er thee?' vroeg ze schor.

Fleur vloog overeind. 'Maak ik voor je, mam. Wacht maar even.' Ze rende bijna naar de keuken waar ze de waterkoker vulde en aanzette. Toen ze een paar minuten later de huiskamer weer binnenkwam, leek mam kalmer.

'Gaat het weer, mam?'

Haar moeder knikte. 'Ja. Het was gewoon een lange, emotionele dag, dat is alles.'

'Hoe eh, hoe is het met...'

Mam staarde voor zich uit. 'Er zijn nekwervels gebroken,' zei ze met een vreemde robotachtige stem. 'In zijn rug is ook iets niet goed, hij heeft een gebroken been en diverse andere verwondingen. Dat been en die verwondingen komen wel weer goed. Maar... hij is verlamd vanaf zijn nek. Hij wordt zo snel mogelijk geopereerd. De vooruitzichten daarover zijn niet best.'

Fleur slikte. Verlamd vanaf zijn nek. Betekende dat dan... Ja, dat moest wel. Als je vanaf je nek verlamd was dan kon je je vanaf dat punt niet meer bewegen. Toch? Hij zou niet meer kunnen schilderen, niet meer kunnen lopen en... O, God. Dat was toch verschrikkelijk? Hij zou helemaal niets meer kunnen! Niets, alleen maar liggen en misschien nog zijn hoofd van links naar rechts bewegen. Natuurlijk, ze vond het een pestvent, ze had een bloedhekel aan hem, maar dit was toch vreselijk?

'Hoe bedoel je, vooruitzichten?'

Mam schudde haar hoofd en staarde voor zich uit. 'De doktoren kunnen er nu nog weinig over zeggen, maar toen ik ze vroeg naar de vooruitzichten keken ze allemaal heel ernstig en zeiden dat die voorlopig nog niet rooskleurig waren. Daarna heb ik niets meer durven vragen.'

Fleur ging naast haar moeder zitten en pakte haar hand die ze zachtjes streelde. 'Dus het enige dat we kunnen doen is afwachten en hopen dat het allemaal mee zal vallen.'

Mam trok haar hand terug en draaide zich om. Haar ogen die wel honderd jaar oud leken, priemden in de hare. 'Meen je dat?'

'Ja, natuurlijk meen ik dat,' zei Fleur bijna verontwaardigd. 'Kijk, ik zal er niet omheen draaien, ik had een hekel aan die man. Een bloedhekel. Maar verlamd, mam. Vanaf zijn nek. Dat gun je toch niemand?'

Weer schudde mam haar hoofd. 'Ik begrijp de laatste tijd zo weinig van jou. En nee, meisje,' zei ze snel toen Fleur haar in de reden wilde vallen. 'Dat is geen verwijt. Het is meer een verwijt aan mijzelf. Waarom heb ik niet gezien waar jij mee rondliep? Waarom heb ik niet met je gepraat? Ik bedoel écht gepraat? Wat zul jij je in de steek gelaten hebben gevoeld. En dan is het bijna verklaarbaar waarom je... Het is mijn schuld. Als ik het op tijd had gezien dan was dit allemaal niet gebeurd. Hoe heb ik het in hemelsnaam zo ver kunnen laten komen? Hoe blind kan een mens zijn?'

Fleur ging op haar knieën voor haar moeder zitten en schudde aan haar schouder. 'Mam, het is jouw schuld niet. Hij had je heel slim, heel langzaam, volledig gehersenspoeld. Net als bij de moeder van Bibi. Hij heeft ervoor gezorgd dat je niemand meer zag of sprak. Want hij wilde je voor zichzelf en wilde je niet delen. Met niemand. Weet je nog dat hij mij wegstuurde op de dag dat ik eerder terugkwam van papa? Jij was zo verliefd dat je dat schattig vond. Je kon er niets aan doen.'

'Ik was niet goed bij mijn hoofd, bedoel je,' mompelde haar moeder en pakte haar beker thee van de tafel. 'Terwijl het toen al begonnen was. En ik had het niet door, hoe dom kan een vrouw zijn?'

'Je bent niet de enige, mam. Sophie heeft je toch wel verteld over Bibi?'

Haar moeder knikte. 'Gelukkig zat ik niet buiten de stad. Ik heb Sophie ruim twintig minuten aan de lijn gehad, zo lang duurde het toch nog voordat ik hier was. Verschrikkelijk voor die jongen. En zijn arme moeder in en uit psychiatrische ziekenhuizen. En dat allemaal voor de liefde, als je het tenminste zo kunt noemen.'

'Bibi woont nu bij zijn opa en oma. Op de momenten dat het goed gaat met zijn moeder woont zij daar ook. Toch is ze nog steeds bang dat Gerard haar iets aan zal doen. Maar misschien dat ze nu...' Fleur slikte moeizaam en zakte door haar knieën. Hoe erg het ook was, nu zou de moeder van Bibi misschien niet meer zo bang zijn. Gerard zou niet meer langs kunnen komen. Gatver, de gatver! Hoe kon het dat zo'n verschrikkelijke gebeurtenis voor de genezing van iemand anders zou kunnen zorgen?

Mams hand lag opeens op haar hoofd. 'Fleurtje?'

Ze hief haar hoofd op en voelde een traan over haar wang rollen. 'Soms snap ik zelf ook niks meer van mezelf, mam. Het is allemaal zo dubbel. Aan de ene kant is het afschuwelijk wat er met Gerard is gebeurd en aan de andere kant betekent het misschien wel de redding voor de moeder van Bibi.'

Haar moeder staarde haar aan met een vreemde blik. Fleur voelde zich er een beetje ongemakkelijk onder. 'Wát? Wat is er, mam?'

'Ik, eh, laat maar, schat. Ik wilde alleen maar dat ik er eerder voor je was geweest, dat ik je eerder had geloofd. Als ik maar niet zo blind was geweest. Dan had je misschien niet het gevoel gehad dat dit de enige... dan had je dit niet hoeven...' Mams stem brak en ze haalde diep adem voordat ze verder ging. 'Maarre, Fleur, ik moet je nog iets vertellen. Ik heb de moeder van Gerard gebeld en zij is direct naar het ziekenhuis gekomen. Het was heel moeilijk, maar ik heb haar alles verteld. Alles. Ook dat jij onder een valse naam bij haar op bezoek bent geweest. Maar ook, eh, ook hoe hij gevallen is, dat vind je toch niet erg, hè?'

Verbaasd keek Fleur haar moeder aan en ze vroeg zich af of zijzelf zo dapper zou durven zijn. Gewoon tegen een moeder zeggen dat je haar zoon van de trap hebt laten vallen! 'Eh, nee, natuurlijk niet. Maarre, wat... zei ze?'

'Eerst was ze heel verdrietig en boos natuurlijk. We kregen een woordenwisseling die wel een uur geduurd heeft, maar uiteindelijk begreep ze wel hoe alles zo had kunnen escaleren. Nadat we nog een minuut of tien hadden zitten praten zei ze dat ze opgelucht was dat ik de waarheid had verteld en nam ze het heft in handen. Ik vond het verbazingwekkend dat een klein oud dametje zo resoluut kon zijn. Ze zei dat het maar het beste was wanneer ik alles aan haar overliet. Ze wilde me er niet meer bij hebben. Zijn spullen kon ik wel opsturen naar haar adres en verder leek het haar het beste wanneer er geen contact meer tussen ons was. Vervolgens stond ze op, trok mij van mijn stoel en begeleidde me naar de uitgang waar ze me een hand gaf, zich omdraaide en wegliep. Daar stond ik dan. Kun je je voorstellen dat ik even met mijn mond vol tanden stond?'

Fleur knikte. 'Ongelooflijk. En was ze nog steeds boos toen je wegging?'

Mam schudde aarzelend haar hoofd. 'Nee. Nee, dat geloof ik niet. Zo gedroeg ze zich niet. Het leek bijna alsof ze opgelucht was dat ik eindelijk wegging.'

'En nu, mam? Mag je nog wel bellen hoe het met hem gaat?'

Weer keek mam haar vreemd aan en Fleur voelde zich bijna gedwongen zich te verdedigen. 'Eh, ja, nou ja, ik bedoel, het is toch ook raar om helemaal niets meer te laten horen. Je wilt toch wel weten of de operatie goed is gegaan en of hij beter wordt of zo?'

'Met veel moeite heb ik voor elkaar gekregen dat ik over een week nog één keer met zijn moeder mag bellen. Waarschijnlijk is er dan meer bekend over zijn vooruitzichten dan nu.'

'Oké dan,' zei Fleur en onderdrukte een gaap.

'Jeetje,' riep haar moeder die het blijkbaar toch gezien had. 'Kijk eens hoe laat het al is. Ach, kind, je zult ondertussen doodmoe zijn, ga maar gauw naar bed. En morgen blijf je een dagje thuis. Ik meld je wel ziek op school, oké?'

Fleur knikte en stond wankelend op omdat ze opeens geen spieren maar pap in haar benen bleek te hebben. 'Oké.' Ze boog zich voorover en gaf haar moeder een kus op haar wang. 'Welterusten, mam.'

'Dag lieverd. Probeer er niet meer aan te denken. Morgen moet je Sophie en Bibi maar even bellen. Dan kun je ze vertellen dat Gerard van de trap is gevallen, maar je hoeft niet te vertellen dat... eh, ik bedoel... Nou ja, belangrijk is dat je alles uit je hoofd probeert te zetten, lekker gaat slapen en nadat je morgen hebt gebeld hoef je er nooit meer over te praten. Goed?'

Alsof ze op wolkjes liep, wankelde ze naar de gang. 'Ja, mam,' mompelde ze al bijna in slaap.

'Slaap lekker.'

Midden in de nacht schoot ze overeind en voelde aan haar keel. Het was maar een droom, maar wel een heel echte. Nog steeds brandde het laatste beeld op haar netvlies. Gerard die onder aan de trap lag. Zijn gezicht naar haar toegekeerd en zijn bebloede ogen leken haar op te zuigen. Ze stond boven aan de trap maar kon zich met geen mogelijkheid losmaken van de aantrekkingskracht van zijn ogen. Duistere, duivelse ogen die haar leken op te slokken. Ondertussen strekte hij zijn armen naar haar uit. Armen die met elke ademteug langer leken te worden en langzaam over de trap naar haar toe kropen. Net toen zijn vingertoppen haar keel raakten, was ze wakker geworden.

Ze ging rechtop zitten en keek op haar wekker. Half twee. Vaag hoorde ze haar moeders stem. Mam was nog wakker. Zacht sloop ze haar bed uit. Misschien mocht ze wel bij haar moeder slapen, misschien zou ze dan niet meer zo eng dromen.

Vlak voor haar moeders slaapkamerdeur hield ze in. Mam was aan het bellen. Midden in de nacht!

'...lijkt wel of het haar niets doet. Toen ik haar vroeg of ze het niet erg vond dat ik alles aan zijn moeder heb verteld, keek ze me verbaasd aan en zei dat ze het helemaal niet erg vond. Ze vroeg ook gewoon hoe het met hem ging en ze vond het echt heel erg voor hem dat hij verlamd is. Ze zei nog dat ze dat niemand gunde en ze kleurde er niet eens bij. Het zal de shock wel zijn. Het gebeurt tenslotte niet dagelijks dat er iemand door jouw schuld van de trap valt. Hoewel ik zeker weet dat dát niet haar bedoeling was. Ze heeft in een opwelling gehandeld. Gewoon spontaan gedaan wat er in haar opkwam. Maar het lijkt wel of ze de hele toestand uit haar geheugen heeft gewist. Ze doet gewoon alsof er niets gebeurd is. Nou ja, dat is te zeggen, alsof zij niets gedaan heeft. Ik vraag me af of ik geen professionele hulp voor haar moet zoeken. Wat denk jij, Merel?'

Verlamd bleef ze voor de slaapkamerdeur staan, haar hand nog startklaar in de lucht om aan te kloppen, haar ogen blindstarend naar de deur. IJskoud had ze het opeens. Haar knieën hadden van het ene op het andere moment geen zin meer om haar lijf te dragen en begonnen spontaan te knikken.

Ze moest hier weg. Ze kon hier niet blijven staan. Ze kon niet blijven luisteren naar de stem van haar moeder die nog altijd door bleef praten. Ze moest zich omdraaien en terug naar bed gaan. Dat was toch niet zo moeilijk? Ze moest haar lichaam uit de verstarring halen. Nu. Meteen. Kom op, Fleur!

Alsof ze vastgeplakt zat, zoveel moeite kostte het. Toch lukte het haar uiteindelijk zich om te draaien en liep ze, als een oud dametje, terug naar haar eigen slaapkamer. Ze sloeg het dekbed terug en ging op haar rug liggen, waarna ze het dekbed tot aan haar kin optrok.

Ze had vast nog gedroomd. En anders had ze het niet goed gehoord. Het kón niet zo zijn dat mam de schuld op haar afschoof. Dat kón gewoon niet. Dat dééd haar moeder niet.

Een droge snik ontsnapte stiekem uit haar keel. Maar mam had het wel gedaan. Hoe kon haar eigen moeder zo gemeen en oneerlijk zijn? Ze begreep er helemaal niets meer van. Een moeder hoorde toch haar kind te beschermen en dat deed mam toch altijd? Vanmiddag nog toen ze thuiskwam had ze haar kind als een leeuwin verdedigd tegen Gerard! Dit klopte toch niet?

Ze draaide zich op haar zij en probeerde geen aandacht te schenken aan de tranen die vochten om eruit te mogen. Had ze het echt goed gehoord, was het niet zo dat ze misschien nog half stond te slapen? Nee, nee, nee. Ze kon zichzelf niet voor de gek houden. Ze had het goed gehoord. Mam had keihard gelogen. Mam schoof gewoon de schuld van zich af en vertelde doodleuk dat haar dochter verantwoordelijk was voor de val van Gerard. En vervolgens vroeg ze zich af of haar dochter geen professionele hulp nodig had! Wie had er hier nou professionele hulp nodig?

Ze draaide zich terug op haar rug en beet op haar duimnagel. Mam was zelf nog in shock! Dat was natuurlijk de verklaring. Dat ze daar niet eerder aan gedacht had. Er was zoveel gebeurd en mam was steeds heel erg van slag geweest. Ze had haar moeder nog nooit zoveel zien huilen als de afgelopen tijd en mam had ook nog nooit zo raar gedaan. Dat was het! Haar moeder had echt professionele hulp nodig. Dan zou ze er vanzelf weer achterkomen dat het niet haar dochter was die voor de val van Gerard verantwoordelijk was, maar zijzelf! Dat zou een dubbele shock zijn. Want ze wist wel zeker dat mam zich dan heel schuldig zou voelen. Maar tot die tijd? Hoe moest ze bijvoorbeeld morgenochtend met haar omgaan? Gewoon normaal? Maar wat was normaal? Eigenlijk was ze naast verdrietig ook echt boos op haar moeder. Ook al was mam dan waarschijnlijk in shock. Het was toch niet normaal wat mam deed?

Ze schudde haar hoofd. Nee, domme doos, het was niet normaal, maar dat was natuurlijk het ziektebeeld. Dat betekende dat ze niet kwaad mocht zijn. Want mam kon er dan niets aan doen. Ontoerekeningsvatbaar, hoorde ze ineens de stem van Sophie. Je kunt het haar niet aanrekenen. Maar waar bleef zijzelf dan? Snotver de snotver! Zijzelf moest toch ook haar verhaal kwijt? Ze kon het niet eens tegen Sophie of Bibi zeggen zonder zich te verspreken! En dan moest ze nu gaan slapen! Alsof dat zou lukken!

'Fleur, kom je eruit?'

Met moeite opende ze haar loodzware oogleden en zag haar moeders gezicht boven zich.

'Het is half tien, lieverd. Ik heb je al ziekgemeld op school. Ik zou eerst zelf ook thuisblijven, maar ik loop al vanaf half zeven te ijsberen. Ik zit mezelf in de weg en daarom heb ik mijn werk gebeld dat ik wat later kom. Dus ik ga zo. Beneden in de keuken staat een potje thee voor je klaar en de tafel is gedekt. Ik maak er geen lange dag van, ik ben vanmiddag vroeg thuis, oké? Red je het wel, zo in je eentje?'

Verbaasd keek ze naar het gezicht van haar moeder. Hoe zag shock eruit?

'Fleur?'

'Eh, ja, tuurlijk. Ga maar, mam.'

Haar moeder streelde even over haar wang. Trillend. Vlinderzacht. 'Ik heb je oma gebeld. Het lijkt me beter wanneer je daar donderdag of vrijdag naartoe gaat en dan een paar dagen blijft. Dan zie je je vader ook meteen weer en ben je even lekker weg van hier. Je hebt volgende week toch vakantie, dus dat komt goed uit. Lijkt je dat wat?'

'Eh, ja, best.'

'Vanavond bel je oma om een tijd met je af te spreken. Tot straks, lieverd.'

En weg was haar moeder. Haar moeder die bijna een moord had gepleegd. Haar moeder die loog. Haar moeder die glashard durfde te beweren dat haar kind de bijna-moord had gepleegd.

Het zou inderdaad goed zijn om even naar Limburg te gaan.

Hoofdstuk 20

Fleur staarde mistroostig uit het treinraam. Ja, oké, ze ging naar haar vader en dat was heerlijk. Helemaal fantastisch was dat hij morgen thuis zou komen. Nou ja, hij ging voorlopig even bij oma en opa in huis, want met die stellage aan zijn been kon hij natuurlijk niet voor zichzelf zorgen. Maar dat mam haar de schuld had gegeven, kon ze maar niet van zich afzetten. En dat ze haar de hele week had zitten bespieden op momenten dat ze dacht dat Fleur niet keek. Want zo voelde het. Bespieden. En elke keer dat ze dan aan mam vroeg of er iets was, had mam alleen maar haar hoofd geschud of gezegd dat er heus niets aan de hand was. De sfeer in huis was gespannen en ze ging mam zoveel mogelijk uit de weg. Ze had Sophie en Bibi gebeld en het zo kort mogelijk gehouden. Gezegd dat ze zich niet lekker voelde door de hele toestand en dat ze daarom donderdag al vertrok om even naar haar vader te gaan. Sophie had nog wel geprobeerd haar aan het praten te krijgen, ze had hartstikke lief tegen haar aan zitten praten en dat had er weer voor gezorgd dat ze zomaar in huilen was uitgebarsten. Sophie was zich rotgeschrokken, had er snel overheen geprat en haar de groeten gedaan van Karim. Daarna had ze nog verteld dat Claudia en Tobias nu met elkaar gingen en niet lang daarna hadden ze opgehangen.

Haar maag deed zeer van de oneerlijkheid. Ze had altijd alles met Sophie kunnen bespreken, maar mam wilde niet dat ze er met iemand over zou praten. Dat had ze met haar hand op haar hart moeten beloven. Ze zouden er nooit meer over praten. En dus hield ze haar mond.

Ze had nog op internet gezocht naar de betekenis van in

shock zijn, maar ze werd er niet veel wijzer van. Het klopte niet helemaal met hoe mam zich gedroeg. Zou het wel shock zijn? Of was ze tijdelijk even niet bij haar verstand geweest? Zoiets moest het zijn. Want als mam zich goed had gevoeld, had ze nooit die draad gespannen en had ze al helemaal niet de schuld op haar kind geschoven. Dat deed je alleen als je niet goed bij je hoofd was. En hoe langer ze erover nadacht, hoe meer ze ervan overtuigd was dat mam... Toch?

Ze ging rechtop zitten en staarde naar haar vingers. Ze was moe. Heel moe. De afgelopen paar nachten had ze steeds maar kleine hazenslaapjes kunnen doen. Elke keer schoot ze wakker. Zag ze weer dat bebloede gezicht. Ze moest er niet meer aan denken. Ook niet meer aan mams ogen die haar overal leken te volgen. Het deed er niet meer toe. Het enige dat er toedeed, was de opluchting die ze voelde. Ze had zich nog nooit opgelucht gevoeld om even bij haar moeder weg te zijn. Wel blij om naar haar vader te gaan. Haar vader die van niets wist.

'Fleur, joehoe, hier!'

Ondanks alles grijnsde ze toen ze de hoge stem van haar oma hoorde en zwaaide naar de vrouw die net zoals de vorige keer, aan het eind van het perron op haar stond te wachten.

'Heb je een goede reis gehad, meisje? Ja? Wat een goed nieuws, hè, dat je vader morgen al naar huis mag. Ik heb de eetkamer ontruimd en daar een bed laten neerzetten, want boven slapen leek me niet zo'n goed idee, wat jij? En zo is hij tenminste onder handbereik. Stel je voor dat ik elke keer naar boven moet rennen. Ik zou het wel kunnen hoor, maar of ik het lang zou volhouden is een tweede. Ik ben tenslotte geen achttien meer, maar daarom niet getreurd hoor, kind. Elke leeftijd heeft zo zijn charmes.'

'Zo is het, oma. Staat opa te wachten?'

's Avonds zette oma de salontafel vol schaaltjes chips en

nootjes en schonk opa haar een groot glas cola in. Daarna ging hij in zijn luie stoel zitten en keek af en toe haar kant op. Maar hij zei niet veel. Opa zei nooit veel. Misschien omdat oma genoeg te vertellen had. Oma zette zich naast haar op de bank en keek haar bijna triomfantelijk aan. 'Wat denk je, Fleur? Vanavond komt Dirty Dancing op de televisie, daar houd jij toch zo van?'

Haar oma keek zo blij dat ze het niet over haar hart kon verkrijgen om te zeggen dat ze die film al zeker zes keer had gezien. 'Ja, dat is een mooie film, oma.' Dan had ze in ieder geval een excuus om niet te praten. Gelukkig maar dat haar grootouders er niets over wisten. Tenminste, daar ging ze vanuit. Natuurlijk had mam ze wel gebeld om af te spreken dat ze een paar dagen kwam logeren, maar omdat niemand er iets over zei, ging ze ervan uit dat mam niet over Gerard had gepraat. Ook niet met pap.

Of haar vader echt niets wist vroeg ze zich meteen af toen hij de volgende dag door de ambulancemedewerkers thuis werd gebracht. Oma had de eetkamer veranderd in een ziekenkamer en er stond een bed dat ze van de kruisvereniging had gehuurd.

Zodra haar vader werd binnengedragen zochten zijn ogen de hare en keken haar doordringend aan.

'Hoi, pap,' zei ze aarzelend. 'Wat fijn, hè, dat je al naar huis mocht?'

Pap knikte. 'Heerlijk,' zei hij en bleef haar aanstaren. Ze werd er ongemakkelijk van en toen opa de ambulancemedewerkers uitliet en oma zei dat de koffie klaarstond in de keuken, zei ze dat ze even zou helpen.

'Hier, kind,' zei haar oma zodra ze de kopjes op het dienblad had gezet. 'Neem jij de koekjes mee?' Ze duwde haar een koektrommel in haar handen en samen liepen ze terug naar de kamer waar haar vader lag en waar haar opa inmiddels in de leunstoel was gaan zitten.

'Zo, jongen,' zei oma vrolijk en gaf pap een kopje koffie. 'Vertel eens hoe we die ijzerhandel aan je been moeten schoonhouden.'

Na een half uurtje waarin voornamelijk haar vader en haar oma aan het woord waren, gingen haar grootouders boodschappen doen en bleef ze alleen achter met haar vader.

'En Fleur?' vroeg haar vader zacht terwijl hij zijn mobiel uitzette en op het kastje naast zijn bed neerlegde.

'Wat?'

'Wanneer ga je me vertellen wat er aan de hand is?'

'Er is niks aan de hand!' zei ze verontwaardigd.

'Kom op, Fleur. Als zelfs oma zegt dat jij stil bent, dan is er zeker iets aan de hand. Vertel eens wat er met Gerard gebeurd is.'

Geschrokken keek ze hem aan. Hij wist het! Mam had het hem wel verteld. Zou ze... Ze zou toch tegen pap geen leugens vertellen? Ze zou toch zeker tegen pap gewoon zeggen wat er echt gebeurd was? 'Eh, nou... hij ligt in het ziekenhuis.'

Haar vader knikte. 'Ja, dat heb ik begrepen. Maar wat is er nu precies gebeurd?'

'Hij, eh, hij viel van de trap.'

'Ja, en...'

Zie je wel! Mam had het hele verhaal verteld. Geesoes! Hoe moest ze haar vader in hemelsnaam vertellen dat mám en niet zíj verantwoordelijk was voor de val?

'Was hij gestruikeld?' hoorde ze haar vader vragen.

Ze knikte.

'Waar struikelde hij over?'

Inwendig kreunde ze. Pap zou doorvragen tot hij alles wist. Er zat niets anders op dan het hele verhaal te vertellen. Vanaf het begin.

Even werd ze woest toen ze zag dat haar vader zijn lachen moest verbijten bij het verhaal over het gespannen draadje tussen de tafel en de bank, maar zodra hij haar boze gezicht zag, trok hij zijn eigen gezicht weer in de plooi.

Tot ze bij het deel van de nachtelijke bezoekjes van Gerard

kwam. Haar vaders toch al bleke gezicht werd nog witter. 'Waarom heb je me dat nooit verteld?' vroeg hij duidelijk geschrokken.

'Ik heb het soms wel geprobeerd, pap, maar je had het altijd zo druk. Je wordt steeds gebeld of je moet zelf bellen.'

'Ja,' haar vader knikte schuldbewust, 'daar heb je een punt. Sorry. Ik zal daar echt aan werken, het spijt me echt. Helemaal nu ik dit hoor. Vanaf nu zal dat niet meer gebeuren. En hoe ging het toen verder?'

'Ach, kind toch,' zei hij toen ze na tien minuten eindelijk bij het eind was gekomen. 'Wat een ellende allemaal. Je hebt heel wat te verstouwen gekregen.'

'Ja, maar ik heb Gerard niets gedaan. Echt pap, ik heb hem niet van de trap laten vallen. In gedachten wilde ik hem heus van alles en nog wat aandoen, maar ik zou echt niet met voorbedachte rade een ijzerdraadje kunnen spannen en dan maar hopen dat hij er overheen kukelt. Dat geloof je toch wel, pap?'

Haar vader stak een arm uit. 'Kom eens hier,' zei hij met een lieve stem en maakte een uitnodigende beweging zodat ze op zijn bed ging zitten.

Aarzelend kwam ze dichterbij. 'Pap? Zeg alsjeblieft dat jij me wel gelooft.'

'Natuurlijk geloof ik je,' zei hij en pakte haar beide bovenarmen vast zodat ze hem recht kon aankijken. 'Maar je moeder denkt dat jij in een opwelling, zonder over de gevolgen na te denken, Gerard wilde straffen voor alles wat hij heeft aangedaan. En gezien al het verschrikkelijke dat jij me zojuist verteld hebt is dat niet zo'n rare gedachte, toch?'

Fleur rukte haar armen los. 'Wat? Dus jij gelooft dat?'

'Rustig nou eens even,' zei haar vader ernstig. 'Natuurlijk geloof ik dat niet, ik weet toch hoe jij bent? En je moeder weet dat ook, misschien nog wel beter dan ik. Daarom wil ik graag weten waarom zij daar anders over denkt.'

'Omdat ze... nou, omdat ze zelf...' Opeens begaf haar stem het. Ze kón het niet zeggen. Ze kon toch niet haar moeder...

'Omdat ze zelf wát, Fleur?'

'O, pap, ik vind het echt verschrikkelijk, maar...' Haar ogen brandden en een enkele traan trok een heet spoor langs haar wang. Kon ze het wel zeggen? En hoe moest ze het zeggen? Op welke manier zou het niet zo hard aankomen? 'Mam, eh, nou, ze heeft het zelf gedaan.' Het laatste deel floepte eruit, zomaar.

Pap staarde haar aan. 'Fleur!'

'Het is echt waar, pap,' snikte ze opeens. 'Ik weet hoe verschrikkelijk het klinkt, maar ik verzin het niet. Echt niet.'

'Maar hoe dan, Fleur, en belangrijker nog, wanneer? Toen jij naar boven ging was er immers nog geen ijzerdraad gespannen.'

Ze schudde haar hoofd en probeerde haar stem in bedwang te houden. 'Nee, toen nog niet. Maar toen ik in mijn kamer was kwam Gerard naar boven en even later hoorde ik hem naar mij toe komen. Voordat hij in mijn kamer kon komen, stond mam op de trap tegen hem te schreeuwen. Nou, enne, toen bleef ze dus een tijdje op de trap staan en toen, eh, toen moet het gebeurd zijn.' Alsof de dijken waren doorgebroken, zo hard stroomden nu de tranen over haar wangen.

Haar vader liet zich achterover op het kussen zakken en staarde voor zich uit. Hij zag er ineens een stuk ouder uit en in zijn gezicht zaten vreemde vouwen die diepe lijnen trokken tussen zijn neus en zijn mondhoeken.

'Waarom zegt ze dat ik het heb gedaan, pap, waarom?' brulde ze wanhopig. 'Ik heb het écht niet gedaan, pap. Dat wéét ze, ze was er zelf bij. Ik begrijp het gewoon niet, waarom zegt ze dat?'

Haar vader schudde zijn hoofd en klopte onhandig op haar arm. 'Ik weet het niet, Fleurtje. Ik weet het echt niet.'

'En ik mag er van mama met niemand over praten, zelfs met Sophie niet. Terwijl zij er zelf wel over praat. Met jou en met tante Merel en wie weet met wie nog meer. En het ergste is dat ze dan leugens vertelt. Over mij. Ze zegt gewoon dat ik gek ben. Ja, ze zegt het anders, maar daar komt het wel op neer. Ik begrijp het gewoon niet, pap. Hoe kan ze dat doen? En ik moet mijn mond houden. Elke keer dat Sophie me belt, neem ik of niet op of ik doe heel kortaf. Ik ben doodsbang dat ik mijn mond voorbij praat en dus zeg ik maar zo weinig mogelijk. Straks ben ik haar nog kwijt. En dat allemaal voor iets dat ik niet heb gedaan,' eindigde ze half verdrietig, half kwaad.

Haar vader wreef over zijn voorhoofd. 'Ik ga er deze week over nadenken. Op dit moment weet ik het ook even niet. We komen er heus wel uit. Echt, meisje, er komt een oplossing. Kijk me eens aan. Gaat het een beetje?'

Fleur wreef met wilde gebaren haar gezicht droog en glimlachte waterig. 'Ja, ik geloof het wel. Ik ben zo blij dat je me gelooft.'

Haar vader kneep even in haar hand. 'Natuurlijk geloof ik je. Ik ken mijn eigen Fleur toch wel? Maar luister eens, lieverd. Ik hoop niet dat je het erg vindt, maar ik word nu toch wel een beetje moe.'

Meteen stond Fleur op en voelde zich enorm schuldig toen ze zijn grauwe gezicht zag. 'Ja. Ja, natuurlijk. Je bent nog maar net uit het ziekenhuis. Natuurlijk ben je moe. Ga maar gauw wat slapen.' Ze draaide zich om en liep naar de deur.

Haar vader richtte zich nog even op. 'Maar wat ga jij dan doen?'

Met haar hand al op de deurklink, draaide ze zich nog even om. 'Ik ga me even nuttig maken hier in huis. O, pap, alsjeblieft,' vervolgde ze toen ze de bezorgde uitdrukking op zijn gezicht zag, 'ik ben allang blij dat ik er met jou over heb kunnen praten. Je hebt geen idee hoe rot het was om steeds m'n mond te moeten houden. Nou ja, je weet wat ik bedoel. Heus, maak je geen zorgen. Ik heb dan wel als een klein kind aan je bed zitten jammeren, maar dat was een momentopname, dat weet jij ook wel. Doe nou maar je ogen dicht en ga slapen.'

Haar vader glimlachte toegeeflijk, maar deed wel zijn ogen dicht en gerustgesteld sloot ze de deur, waarna ze doorliep naar de keuken om de koffiekopjes af te wassen.

Het weekend en de rest van de week gingen in een waas voorbij. Ze had twee keer een berichtje aan Sophie gestuurd en er twee teruggehad. Ze had Bibi gebeld en hij was voorzichtig optimitisch. Het leek met zijn moeder iets beter te gaan. Niet dat hij nu meteen heel hoopvol was, het was immers niet de eerste keer dat het beter leek te gaan met zijn moeder. Voor even.

Verder deed ze eigenlijk niets anders dan naar haar vader kijken. Elke dag kwam de fysiotherapeut om met hem het lopen te oefenen. Aan het eind van de week was pap al weer de hele dag uit bed en liep hij, nog wel een beetje stuntelig, rond in de huiskamer. Ze wist niet of en wanneer hij haar moeder had gesproken, hij zei er niets over, maar, op de momenten waarop hij dacht dat zij het niet merkte, bleef ook zijn blik vaak nadenkend op haar rusten. Toch was het een andere blik dan mam had gehad. Ze werd er niet ongemakkelijk onder. Pap geloofde haar. Pap zou haar helpen.

'Fleur, morgen is het zaterdag. Denk je niet dat het tijd wordt om naar huis te gaan?'

Geschrokken keek ze haar vader aan. Naar huis? Naar mam? Meteen voelde haar lichaam als een strakgespannen veer en dwong ze zichzelf om diep adem te halen. Het moest er natuurlijk een keer van komen, dat wist ze ook wel. Maar morgen al? 'Eh, kan het niet zondag?' vroeg ze bijna timide.

Haar vader glimlachte. 'Hoe langer je het uitstelt, hoe moeilijker het wordt. Ik begrijp wel dat je er tegenop ziet, daarom zal ik met je meegaan. Ik heb met je opa afgesproken dat hij ons met de auto brengt.'

'O,' zei ze verbaasd. 'Maar kan dat wel? Ik bedoel, met je been en zo?'

'Haar vader knikte. 'Ik heb er met de fysiotherapeut over

gesproken en we hebben gisteren en vandaag heel veel ge-
oefend op traplopen. En als ik morgen dwars op de achterbank ga zitten zodat mijn been voldoende rust heeft, en we
af en toe pauzeren zodat ik even kan rondhobbelen, voorziet
hij geen problemen.'

'Zal ik je even helpen?' hoorde ze mam vragen toen ze
samen met pap de trap op kwam.

'Nee hoor,' hijgde haar vader. 'Het gaat wat langzamer
dan gewoonlijk, maar het lukt prima.'

'Hé, waar is je vader?' vroeg mam aan hem terwijl ze
langs de trap naar beneden keek.

'Hij wilde even de stad in. Daar komt hij anders natuurlijk nooit.'

'O. Dag Fleur, kom eens hier.' Haar moeder strekte haar
armen naar haar uit en aarzelend liet ze zich omarmen.

'Hoi mam,' zei ze afwachtend.

Mam keek haar onderzoekend aan, wierp een vragende
blik op haar vader, maar toen hij niets zei wees ze naar de
openstaande huisdeur. 'Kom gauw binnen. Zo warm is het
buiten niet. Wil je koffie, Sebastiaan? En jij thee, Fleur?'

Fleur slofte de huiskamer in en zag vanuit haar ooghoek
hoe pap op de bank ging zitten. Zijzelf slenterde door naar
het raam en staarde naar buiten.

Ze hoorde haar moeder binnenkomen en draaide zich
om. Mam zette de beker koffie vlak bij haar vader en de
beker thee op de salontafel. 'Kom je er niet gezellig bij zitten, Fleur?'

'Gezellig?' vroeg ze verbaasd en voelde hoe de opgekropte
boosheid zich naar boven vocht. 'Hoezo gezellig?'

Haar moeder kleurde. 'Ik bedoel, eh, nou...'

'Zolang jij mij de schuld blijft geven van iets dat ik niet
heb gedaan, heb ik geen enkele behoefte om "gezellig" bij
jou te komen zitten.'

'Lieverd, ik begrijp dat je overstuur bent, maar ik wil er
graag met je over praten, je...'

'Nee,' gilde ze opeens. 'Nee, ik wil er niet over praten. Niet met jou. Jij hebt je verhaal over mij al lekker aan anderen kunnen vertellen, terwijl ik mijn mond moest houden en jij er met mij nooit over hebt willen praten. Nou mam, nu wil ik niet meer.'

'Fleurtje, kalm aan. Geef je moeder een kans,' hoorde ze haar vader zeggen.

Haar moeder stond op en liep met uitgestrekte armen naar haar toe. 'Luister alsjeblieft naar me, Fleur. Alsjeblieft. Je was jezelf niet en dat begrijp ik volkomen, ik...'

Fleur duwde haar handen tegen haar oren. 'Ik luister helemaal niet meer naar je. Hoor je me?' schreeuwde ze woedend. 'Jíj bent degene die niet zichzelf was. Jij, mam, jij!'

Mams armen vielen naast haar lichaam en haar gezicht vertrok. 'Je hebt gelijk. Ik ben wekenlang mezelf niet geweest. Wekenlang heb ik niet gezien wat er met jou gebeurde. Door mijn blindheid. En dat spijt me. Dat spijt me verschrikkelijk, Fleur. Maar dat laat onverlet dat jij... dat jij...'

'Dat ik wát, mam?' brulde Fleur woest. 'Ik ben niet degene die dat ijzerdraadje heeft gespannen, hoor. Wanneer had ik dat moeten doen? Toen ik naar boven werd gestuurd door jou? Hoe kon Gerard daarna dan gewoon naar boven lopen? Heb je daar al eens over nagedacht?'

Mams mond viel open en haar gezicht vertrok zo mogelijk nog meer. Ze zei niets.

'Ik heb er wél over nagedacht, mam. Heel veel. En daarom weet ik het zeker. Ik weet precies wanneer jíj dat ijzerdraadje hebt gespannen. Toen je naar boven kwam om Gerard bij mij weg te sturen. Toen ben je een tijdje op de trap blijven staan. Je had dus tijd genoeg. Beken het nou maar, jíj was het!'

Mams ogen puilden bijna uit hun kassen. 'Denk je dat echt?' fluisterde ze.

'Ik denk het niet alleen, ik weet het zeker,' zei Fleur opeens merkwaardig rustig. 'Alleen jij hebt de mogelijkheid...'

'Nu is het genoeg,' zei haar vader die opeens naast haar

stond. 'Met die beschuldigingen over en weer komen we er nooit uit. Kom, Fleur, ga op die bank zitten!'

Verbouwereerd keek ze haar vader aan. Pap had zijn stem verheven! Sullig keek ze hoe zijn hand de hare pakte en even sullig liep ze achter hem aan naar de bank.

'Zo,' zei haar vader terwijl hij een slokje koffie nam. 'Mag ik nu eens even iets zeggen?' Hij verwachtte blijkbaar geen antwoord, want hij ging meteen door. 'Ik heb hier zo mijn eigen idee over. Het feit alleen al dat jullie elkaar verdenken, oprecht verdenken en met oprecht bedoel ik dat jullie er allebei heel veel moeite mee hadden om mij dat uiteindelijk in tranen te vertellen, dat feit alleen al, moet toch eigenlijk al voldoende zijn?'

'Hoe bedoel je?' vroeg mam die op het puntje van de bank was gaan zitten.

'Ik ben er heilig van overtuigd dat Fleur nooit dat ijzerdraadje gespannen kan hebben, hoe kwaad of verdrietig ze ook was en...'

'Dus jij denkt ook dat ik het was?' riep mam verontwaardigd en sprong van de bank af. 'Hoe kún je? Je kent me toch, ik zou nooit...'

'... én,' ging haar vader onverstoorbaar verder terwijl hij een handgebaar naar haar moeder maakte, 'ik ben er ook van overtuigd dat jij dat nooit zou doen. Zelfs niet toen je erachter kwam wat die kwal allemaal gedaan had.'

Haar vader liet zich tegen de rugleuning van de bank vallen en zweeg. Fleur staarde hem aan en begreep er helemaal niets meer van. Vanuit haar ooghoek zag ze dat haar moeder iets wilde zeggen, maar er kwam niets uit haar mond.

Haar vader ging rechtop zitten, keek mam aan en klopte uitnodigend op het plekje naast hem op de bank. Mam twijfelde even, maar ging toen toch naast hem zitten. Pap kuchte. 'Hebben jullie er wel een aan gedacht dat wanneer twee mensen elkaar ergens van verdenken, het meestal een derde is die dan de schuldige is?'

'Een derde?' zei Fleur en staarde haar vader aan. 'Hoe bedoel je? Wie...'

'Ja, precies!' zei haar vader ernstig. 'Wie is degene die altijd dat soort flauwe grapjes uithaalde?'

Haar moeder keek alsof ze water zag branden. 'Maar... hoe kan... hij is toch zelf...'

'Toen Fleur naar boven ging, was het draadje nog niet gespannen, daarna opeens wel. Er moet een moment geweest zijn waarop hij dat heeft kunnen doen.'

'Toen hij naar boven kwam, dacht ik dat hij even aarzelde zodra hij op de overloop stond,' ging Fleur opeens een licht op. 'Het duurde namelijk even voordat hij voor mijn deur stond. En jij was toen nog beneden, mam.'

'Ja, dat is waar,' zei haar moeder die opgestaan was. 'Ik dacht dat hij al bezig was met zijn tas te pakken toen ik hem opeens voor jouw deur hoorde lachen.'

'Ik denk,' zei haar vader en staarde naar zijn vingertoppen, 'dat hij dat draadje voor Fleur had gespannen. Fleur was naar boven gestuurd, hij spande dat draadje, ging haar nog even bang maken en verwachtte natuurlijk dat Fleur uit angst naar beneden zou rennen. En dat gebeurde niet.'

'Djiezus,' zuchtte Sophie. 'Die sukkel had het dus zelf gedaan! En omdat hij zo werd opgejut door je moeder vergat hij gewoon dat hij die draad gespannen had! En ondertussen jij je moeder maar verdenken en zij jou! En toen?'

Fleur staarde voor zich uit. 'Daarna was het heel raar. Mam en ik durfden elkaar niet goed aan te kijken en mijn vader was opeens doodmoe. Hij zat erbij alsof hij zijn tong verloren had. Mijn moeder is toen maar een pan soep gaan maken.'

'Altijd lekker,' knikte Sophie serieus. 'O, ik bedenk me opeens iets,' riep ze uit. 'Hoe is het eigenlijk met Bibi? Zijn moeder zal wel... eh , ik bedoel...'

Fleur knikte. 'Volgens Bibi gaat het iets beter met haar. Hij hoopt dat dat zo blijft.'

'Afwachten dus,' zuchtte Sophie. 'En weet je nu eindelijk wat zijn echte naam is?'

'Ja, maar daar kan ik niet aan wennen, hoor. Ik blijf hem gewoon Bibi noemen en hij vond dat best.'

'Jaha, maar hoe heet hij nou echt?'

'Zeg ik niet, want dan blijf je er steeds aan denken. Maar ik moet nu gaan. Mijn moeder...'

'O, je moeder,' onderbrak Sophie haar. 'Heb je het weer helemaal goed gemaakt met haar?'

Fleur knikte. 'Ja, dat ging eigenlijk vanzelf. Na de soep ben ik de afwas gaan doen en toen ik terugkwam in de huiskamer zat mijn moeder naast mijn vader op de bank. Hoewel, zát? Ze lag zowat tegen hem aan. Ze huilde en hij streelde alle tranen van haar wangen. Zodra ze mij zag keek ze me haast smekend aan. Ja, daar kon ik niet tegen hoor, dus toen heb ik haar maar een zoen gegeven. Mijn vader trok me naast hem op de bank en toen hebben we gewoon een hele tijd met z'n drietjes zo gezeten. Ik aan de ene kant van mijn vader en mam aan de andere kant.'

'Wauw!' lachte Sophie. 'Dan is er toch nog iets goeds voortgekomen uit al die ellende. Gaan ze nou weer met elkaar?'

Fleur stompte Sophie vriendschappelijk op haar arm. 'Jij altijd! Weet ik veel. Ze bellen in ieder geval vaak en komend weekend gaan we naar Maastricht.'

Sophie knikte triomfantelijk. 'Die komen weer bij elkaar. Wedden?